D1646555

Führen ist für Anselm Grün eine spirituelle Aufgabe. Nach der Regel des Benedikt von Nursia, dem Gründer des Benediktinerordens, beschreibt er den Verantwortlichen als einen Menschen, der sich mit sich selbst ausgesöhnt hat und in seinen Mitarbeitern Lebendigkeit und Freude zu erwecken vermag. Denn alle Bemühungen um Effizienzsteigerung bleiben fruchtlos, wenn es nicht gelingt, das Unternehmen in einen Ort der Inspiration und Ermutigung zu verwandeln. Menschliche Reife, Bescheidenheit, Hingabe, Wertschätzung, das rechte Maß – dies und vieles mehr sind die besten Voraussetzungen, um die Weichen für eine erfolgreiche und von Stabilität geprägte Zukunft zu legen.

»Ein Unternehmen, das ohne eine Vision arbeitet, kann vielleicht kurzfristig Erfolg haben. Aber schon nach kurzer Zeit wird es Probleme bekommen. Wer seine Mitarbeiter inspiriert, wer ein ›Heiligtum‹ schafft, in dem die Seele beflügelt wird, wird immer wieder auch die Bedürfnisse der Menschen ansprechen und wirtschaftlich florieren.«

Anselm Grün, geboren 1945, ist Benediktinermönch und Autor zahlreicher Bestseller. Als Cellerar der Abtei Münsterschwarzach ist er verantwortlich für über 20 Betriebe mit rund 300 Mitarbeitern. Er gehört zu den meistgelesenen christlichen Autoren der Gegenwart und wird von vielen deutschen Topmanagern als geistlicher Berater geschätzt.

Anselm Grün

Menschen führen –
Leben wecken

Anregungen aus der
Regel Benedikts von Nursia

Deutscher Taschenbuch Verlag

Von Anselm Grün außerdem im
Deutschen Taschenbuch Verlag erschienen:
Damit dein Leben Freiheit atmet (34392)
Ich wünsch dir einen Freund (34441)
Du bist ein Segen (34474)
Leben und Beruf (34534)
Die Zehn Gebote (34555)
Königin und wilde Frau (34585)
Die hohe Kunst des Älterwerdens (34624)

Ausführliche Informationen über
unsere Autoren und Bücher
finden Sie auf unserer Website
www.dtv.de

Ungekürzte Ausgabe 2006
6. Auflage 2010
Deutscher Taschenbuch Verlag GmbH & Co. KG,
München
Umschlagkonzept: Balk & Brumshagen
Umschlagfoto: Micha Palitzki
Satz: Filmsatz Schröter, München
Gesetzt aus der Stempel Garamond 10/13 pt
Druck und Bindung: Druckerei C. H. Beck, Nördlingen
Gedruckt auf säurefreiem, chlorfrei gebleichtem Papier
Printed in Germany · ISBN 978-3-423-34277-3

Inhalt

Einleitung 7

1. Die Eigenschaften des Verantwortlichen 13

2. Die Weise des Führens – Das Menschenbild Benedikts 33

3. Leitung als Dienst 45

4. Der Umgang mit den Dingen 65

5. Der Umgang mit den Menschen 77

6. Die Sorge für sich selbst 107

7. Das Ziel des Führens –
   Spirituelle Unternehmenskultur 115

Schluß 125

Literatur 127

Einleitung

Führungsseminare werden heute überall angeboten. Jede Firma legt Wert darauf, ihre leitenden Mitarbeiter zu schulen, damit sie effektiver zu führen verstehen. Allerdings geht es bei vielen Führungsseminaren mehr um Methoden als um die Voraussetzungen des Führens. Wenn wir in der Regel des hl. Benedikt nach Führungsmodellen Ausschau halten, so finden wir da einen anderen Ansatz. Es geht vor allem um die Frage, wie einer, der führen soll, beschaffen sein muß, wie er an sich arbeiten muß, um überhaupt führen zu können. Führung durch die Persönlichkeit ist für Benedikt das Wichtigste. Erst dann geht es auch um konkrete Hinweise, wie man führen soll. In den meisten Führungsseminaren geht es um Schulung der Leitungsfähigkeit, um klare Zielsetzung, zielstrebiges Einsetzen der Mitarbeiter und Ressourcen, um schnelles Durchschauen der komplexen Zusammenhänge und um die richtige Entscheidungsfindung (vgl. Küng 349). Benedikt beschreibt vor allem die Haltung und den Charakter dessen, der für das Wirtschaften des Klosters verantwortlich ist. Und er verliert nie das Ziel des Führens aus den Augen. Das Ziel wird aber nicht in der Gewinnmaximierung gesehen, sondern im achtsamen Umgang mit der Schöpfung und mit den Menschen. Benedikt sieht das Ziel des Führens darin, daß im gemeinsamen Arbeiten das Haus Gottes erbaut wird, ein Haus, in dem Gottes Herrlichkeit durchscheint, ein Haus, in dem die Brüder (natürlich sind bei den Brüdern die Schwestern immer mitgemeint) miteinander in Frieden und in Freude zusammenleben und so Zeugnis ablegen für Gottes heilende und liebende Nähe. Dieses Ideal scheint auf den ersten Blick weltfremd zu sein. Aber bei näherem Hinsehen zeigt es gerade heute eine neue Aktualität. Viele Firmen haben eingesehen, daß es zu wenig ist, nur die Kosten zu senken und die Einhaltung der Arbeitszeit zu kontrollieren. Entscheidend ist, daß eine Firma über den engen Horizont der Gewinnmaximierung hinausschaut und einen Sinn in ihrem Wirtschaften erkennt.

Neben den vielen Büchern und Seminaren zum Thema Führung ist in den letzten Jahren ein anderes Thema in den Vordergrund getreten, das der Wirtschaftsethik. Die Verantwortlichen in der Wirtschaft haben immer mehr eingesehen, daß es ohne ethische Grundsätze nicht möglich ist, ein Unternehmen zu führen. Ethische Grundsätze sind etwas anderes als moralische Appelle oder moralistische Forderungen, die oft mit der Realität des Wirtschaftens nichts mehr zu tun haben. Was von der Kirche zum Thema Wirtschaftsethik gesagt wird, hat häufig diesen moralisierenden Unterton. Daher hilft es kaum weiter. Der »Runde Tisch von Caux«, begründet von Frederik Philips und Olivier Giscard d'Estaing, erklärt »die Notwendigkeit von moralischen Werten in den wirtschaftlichen Entscheidungsprozessen ... Ohne sie sind stabile Geschäftsbeziehungen und eine überlebensfähige Weltgemeinschaft unmöglich.« (Küng 336) Die Regel Benedikts moralisiert nicht. Sie stellt Grundsätze auf, nach denen der Abt (der Vorsteher der klösterlichen Gemeinschaft) oder der Cellerar (der wirtschaftliche Verwalter des Klosters) ihre Aufgabe erfüllen sollen. Sie zeigt Wege, wie die Führung den Menschen mit ihren Bedürfnissen und der Schöpfung mit ihren Ansprüchen gerecht werden und zugleich wirtschaftlich arbeiten und den Unterhalt vieler Menschen sichern kann.

Da ich selbst seit über 20 Jahren Cellerar der Abtei Münsterschwarzach bin, möchte ich nicht alle Aussagen der Regel Benedikts zum Thema Führung behandeln, sondern mich auf das Kapitel über den Cellerar beschränken. Es wird bei uns dreimal im Jahr beim Abendessen vorgelesen. Es ist für mich jedes Mal eine Gewissenserforschung, ob ich diesen Forderungen Benedikts gerecht werde. Wenn ich jetzt darüber schreibe, so weiß ich auch, daß ich den eigenen Worten gegenüber zurückbleibe. Ich kenne die Versuchung, die Dinge schleifen zu lassen und Führung zu verweigern. Und ich kenne in mir auch den Drang, schnell zu entscheiden und die manchmal mühsamen Entscheidungswege zu überspringen. Trotzdem wage ich es, über die Führung nach der Regel Benedikts zu schreiben, nicht weil ich es so gut kann, sondern weil ich mich der Herausforderung stellen möchte, die für mich das Cellerarskapitel darstellt. Die Worte Benedikts lassen mich nicht in Ruhe, mich immer wieder neu auf das manchmal beschwerliche, oft aber auch lustvolle Geschäft des Führens einzulassen. Je mehr ich mit den konkreten Aufgaben eines Cellerars beschäftigt bin, desto mehr spüre ich, wie realitätsnah Benedikts Worte sind. Als Ergänzung zum Cellerarskapitel möchte ich auch auf das Abtskapitel zurückgreifen, in dem ähnliche Grundsätze formuliert sind. Dabei möchte ich aber diese Sätze aus dem Cellerars- und Abtskapitel nicht nur für die Führung in klösterlichen Gemeinschaften oder in Pfarreien und kirchlichen Gruppierungen auslegen, sondern auch im Blick auf die vielen Firmen, mit denen ich zusammenarbeite. In Gesprächen mit Firmenchefs und Bankdirektoren habe ich erfahren, daß die Gedanken der Regel nicht weltfremd sind, sondern durchaus auch uns heute anregen können, nach neuen Formen der Führung zu suchen. Bei Vorträgen haben Zuhörer mir öfter gespiegelt, daß sie diese Gedanken auch in ihrem Alltag anwenden können, obwohl sie keine Führungsposition in einem Unternehmen einnehmen. Jeder von uns, der mit Menschen zu tun hat, ist zugleich »Führer« und »Geführter«. Eltern, die ihre Kinder erziehen, haben eine Führungsaufgabe. In jeder Gruppe gibt es Mitglieder, die führen, wobei die Rollen dabei durchaus wechseln können. Der eine führt, wenn es um finanzielle Dinge geht. Der andere übernimmt die Führung, wenn ein Fest auszurichten und ein Raum zu schmücken ist. Wie gehen wir miteinander um, wenn wir die Führungsrolle übernehmen? Wie gehen wir in der Familie, in der Pfarrei, in der politischen Gemeinde, in den Betrieben, in der Gesellschaft miteinander um? Wie führen wir selbst, wie lassen wir uns führen, wie reagieren wir auf Menschen, die in einer Führungsposition sind? Wir sind selbst dafür verantwortlich, wie wir uns führen lassen. Es liegt nie nur am Vorgesetzten, sondern immer auch am Untergebenen, welche Art von Führung er sich gefallen läßt. Daher ist dieses Buch nicht nur eine Anregung für Menschen, die führen, sondern auch für die, die geführt werden. Wie gehe ich mit meiner Führungsaufgabe und wie mit meinem Geführtwerden um? Wie weit kann ich durch meine Reaktion auf das Geführtwerden den Führungsstil der Verantwortlichen verändern?

Wenn wir die Führungsmodelle anschauen, die heute oft propagiert werden, so gehen sie häufig vom Modell eines mechanistischen Unternehmens aus, das fast maschinenähnlich strukturiert ist, das genaue Planungsmodelle, Organisationspläne und Kriterien für die Leistungsbewertung entwickelt. Aber solche Unternehmen sind oft seelenlos. Und die Führung beschränkt sich häufig darauf, möglichst viele Arbeitskräfte abzubauen, das Management schlanker werden zu lassen, die Fehlzeiten zu begrenzen und die Produktion ins Ausland zu verlagern, weil dort billigere Arbeitskräfte zu haben sind. Doch dieses Führungsmodell, das davon ausgeht, »daß nur die Verschlankung der Betriebe und damit verbundene Massenentlassungen zu verbesserten Gewinnmöglichkeiten und so zu höheren Aktienkursen führen« (Küng 343), ist von Phantasielosigkeit und Seelenlosigkeit gekennzeichnet. In solchen Unternehmen macht es keinen Spaß zu arbeiten. Demgegenüber gibt es andere Modelle von Unternehmen, die auf der Chaostheorie basieren. »Sind Kontrolle und Macht die bestimmenden Charakteristika mechanistischer Unternehmen, dann sind Spaß und Spontaneität die Merkmale chaotischer Unternehmen.« (Secretan 57) Der Prototyp eines solchen chaotischen Unternehmens ist Microsoft. Einer der Leiter meinte von seinen Angestellten: »Wir können sie halten, weil sie bei uns einer sinnvollen Tätigkeit nachgehen, nicht weil sie Geld brauchen.« (Ebd 57) Benedikt hat ein anderes Modell. Er spricht vom Haus Gottes, das ein Kloster sein soll. Er meint damit nicht nur, daß die Mönche immer wieder in die Kirche gehen sollen, um zu beten, sondern daß auch durch die Arbeit dieses Haus Gottes errichtet wird. Interessant ist, daß ein führender Unternehmensberater in den USA heute vom Unternehmen als von einem »Heiligtum« spricht. Er versteht darunter nicht einen Ort, sondern eine Einstellung. Ein Heiligtum meint eine Gemeinschaft von Menschen, die ihre spirituellen Ressourcen mobilisieren, die relevante Fragen stellen, die einander lieben, vertrauen, respektieren und eine gemeinsame Sprache sprechen. »Ein Heiligtum ist eine heilige Stätte, ein Ort, an dem wir allen dort befindlichen Personen und Dingen Ehrfurcht erweisen, ein Ort, an dem wir … in Anmut und Würde leben und die Seele nähren.« (Secretan 340) Und ein »Heiligtum« ist ein Ort der Heiterkeit, Inspiration und Liebe, ein Ort, an dem sich jeder persönlich entfalten kann, ein Ort, an dem unsere Seele angesprochen und beflügelt wird. Wenn Benedikt vom »Haus Gottes« spricht, dann meint er damit auch eine Gemeinschaft von Brüdern und Schwestern, die einander achten, in der jeder aufblühen soll, weil jeder eine unantastbare Würde hat. Daß das nicht weltfremd ist, sondern durchaus effektive

Führung meint, die auch zu guten Gewinnen führen kann, zeigen heute neue Führungsmodelle, wie sie vor allem in den USA praktiziert werden. Für mich ist es interessant, daß das schon fast 1500 Jahre alte benediktinische Führungsmodell heute durchaus wieder modern ist und auf wichtige Fragen unserer Zeit zu antworten vermag.

1. Die Eigenschaften des Verantwortlichen

Das Cellerarskapitel beginnt mit den Worten:

>*Als Cellerar des Klosters wählt man einen aus der Gemein-schaft, der erfahren ist, von reifem Charakter, nüchtern und kein Vielesser, nicht hochmütig, nicht aufgeregt und nicht grob, nicht langsam und nicht verschwenderisch, sondern gottesfürchtig. Er sei der ganzen Gemeinschaft wie ein Vater.«* (RB 31,1f)

Hier werden wichtige Eigenschaften des Cellerars genannt. Bevor über die Kunst des Führens gesprochen wird, wird die Persönlichkeit des Führenden beschrieben. Die Haltung, die Benedikt vom Cellerar fordert, setzt voraus, daß er durch die Schule der Selbsterkenntnis gegangen ist, wie sie die frühen Mönche beschrieben haben. Wer führen will, muß erst sich selbst führen können. Er soll mit seinen eigenen Gedanken und Gefühlen, mit seinen Bedürfnissen und Leidenschaften zurecht kommen. Evagrius Ponticus hat in seinem Buch »Praktikos« beschrieben, wie ein Mönch sich erst einmal selbst zu beobachten hat, um zu erkennen, welche Emotionen ihn antreiben, welche Bedürfnisse in ihm aufsteigen und welche Leidenschaften ihn bestimmen. Und dann ist es erforderlich, daß der Mönch den Gedanken und Gefühlen auf den Grund geht: Was wollen sie ihm sagen? Welches Grundproblem meldet sich in ihnen zu Wort? Was hat ihn verletzt? Was hindert ihn am klaren Denken? Das Ringen mit den Leidenschaften, mit den 9 logismoi, wie Evagrius sie nennt, ist die eigentliche Aufgabe des Mönches. Wer eine verantwortliche Aufgabe übernehmen will, muß sich erst dieser Selbstbildung gestellt haben. Denn sonst wird er seine Führungsaufgabe ständig mit seinen nicht eingestandenen Bedürfnissen vermengen. Und seine unterdrückten Leidenschaften werden seine Emotionen bestimmen und ihn an einer klaren Führung hindern. Wenn eine Führungspersönlichkeit zwar die Instrumente der Organisation und Kontrolle beherrscht, aber persönlich unausgeglichen und unbeherrscht ist, kann sie in ihrem Unternehmen zwar kurzfristig Kosten einsparen, aber auf Dauer wird sie das Unternehmen mit ihrer Unreife infizieren und die Motivation der Mitarbeiter bremsen. Die nicht bewußt gemachten Bedürfnisse und Emotionen werden auf die Mitarbeiter projiziert. Es entsteht ein »Emotionsbrei«, der wie Sand das Getriebe eines Betriebes behindert. Was nicht bewußt angeschaut wird, wirkt als Schatten destruktiv auf die Umgebung. Man braucht nur die Erinnerungen von Edzard Reuter über seine Zeit bei Daimler-Benz zu lesen, um zu erkennen, wieviel Energie durch Eifersüchteleien und Rivalitätskämpfe, durch verdrängte Aggressionen und Unausgeglichenheit der Führenden verloren geht. Daher ist es richtig, daß Benedikt auf den Charakter des Leiters so großen Wert legt.

Erfahren sein

Die erste Voraussetzung für die Aufgabe der wirtschaftlichen Leitung ist, daß der Cellerar erfahren ist. Im Lateinischen heißt es: »sapiens«, weise, einsichtsvoll. »Sapiens« kommt von »sapere« = schmecken, Geschmack haben, Verstand haben. Wer die Dinge schmeckt, wie sie sind, wer über die Dinge nicht nur nachdenkt, sondern mit ihnen in Berührung kommt, wer sie mit seinen Sinnen erfaßt, der wird weise. Er kennt die Dinge von innen heraus. Weisheit ist etwas anderes als Klugheit (prudentia). Weisheit hat immer mit Erfahrung zu tun. Das deutsche Wort »weise« kommt von wissen. Aber es meint auch kein äußeres Wissen, vielmehr hat Wissen von der Wurzel her mit Sehen und Erblicken zu tun. Weise ist der, der die Dinge sieht, wie sie sind. Der Cellerar braucht nicht in erster Linie äußeres Wissen, sondern Weisheit. Er muß in Berührung sein mit der Wirklichkeit. Er braucht Geschmack, Gespür für das Richtige, für das, was ist. Er braucht Erfahrung mit sich selbst und mit den Menschen.

Menschliche Reife

Die zweite Voraussetzung sind die reifen Sitten oder der reife Charakter (maturis moribus). Das Wort »reif« kommt von der Frucht, die gereift ist und nun geerntet werden kann. Nur die reife Frucht schmeckt. Die unreife Frucht stößt bitter oder sauer auf. Die Aufgabe des Cellerars setzt menschliche Reife voraus. Nur dann ist er für die, denen er vorstehen soll, genießbar. Er muß gereift sein durch Regen und Sonne und sich dem Leben gestellt haben. Indem er sich dem Regen und der Sonne aussetzt, der Hitze des Tages und der Dunkelheit der Nacht, wird der Keim, der in ihm steckt, langsam verwandelt. Kriterien für die menschliche Reife sind die innere Ruhe, die Gelassenheit, das Ganzsein, das Einssein mit sich selbst. Wer mit seiner Mitte in Berührung ist, der läßt sich nicht leicht verunsichern. Wer jedoch unreif ist oder unausgegoren, bei dem schleichen sich Verhaltensweisen ein, die den Menschen nicht gut tun. In den Schlagzeilen der Presse werden uns ständig Manager vor Augen geführt, die zwar viel Geld verdienen, aber unreif geblieben sind. Es ist auch heute noch eine berechtigte Erwartung der

Mitarbeiter, daß sie von ihrem Chef menschliche Reife verlangen. Sonst sind sie nicht motiviert, von ihm Anweisungen entgegen zu nehmen und sich von ihm herumkommandieren zu lassen.

Benedikt zählt auch einige Kennzeichen für einen reifen Menschen auf. Da ist einmal die Nüchternheit. »Sobrius« bedeutet: nicht betrunken sein, nüchtern, der Wollust nicht ergeben, vernünftig, besonnen. Nüchtern ist der, der die Dinge sieht, wie sie sind, der sie nicht durch den Nebel seiner Betrunkenheit verfälscht. Nüchtern ist der, der den Dingen gerecht wird, der sachlich beurteilen kann, der sich nicht von Emotionen hin- und herreißen läßt. Viele sehen die Dinge nicht, wie sie sind, sondern durch die Brille ihrer verdrängten Bedürfnisse, ihrer Emotionen, ihrer Angst oder ihres Mißtrauens. Für Benedikt ist der, der den Dingen gerecht wird, ein reifer und spiritueller Mensch. Spiritualität ist nicht eine Flucht vor der Wirklichkeit, sondern gerade die Kunst, den Dingen gerecht zu werden, sie so zu sehen, wie Gott sie geschaffen hat. Wir meinen, das sei einfach. Aber wir erleben die Dinge so, wie wir sie sehen. Und oft genug sehen wir die Dinge nicht richtig, wir machen uns vielmehr Illusionen von der Wirklichkeit. Wir leben in der Illusion, alles für uns ausnützen zu können. Wir leben in der Einbildung, die größten und wichtigsten Menschen zu sein. Dann hat alles nur uns zu dienen. Wer so betrunken von seinen Illusionen durch die Welt geht, wird nicht wirklich führen können. Er wird vielmehr die, für die er Verantwortung übernommen hat, ins Verderben stürzen. Bei vielen Konkursen wird deutlich, daß die Verantwortlichen irgendwelchen Illusionen aufgesessen sind, daß sie nicht nüchtern die Realität eingeschätzt haben.

Edzard Reuter hat in seinen Erinnerungen immer wieder beschrieben, wie stark ein so großer Konzern wie Daimler-Benz von den Reibungsverlusten beeinträchtigt werden kann, die durch die Eifersüchteleien der Vorstandskollegen entstehen. Da hat jeder seine eigenen Vorlieben und kämpft dafür. Er gibt vor, daß er für die Sache kämpfe. In Wirklichkeit aber geht es um die eigene Macht, um die persönliche Eitelkeit und um die Anerkennung nach außen. Wenn ein Vorsitzender nicht von reifem Charakter ist und sich nicht nüchtern für die Sache einsetzt, dann verwendet er seine Energie nur darauf, »das Entstehen von gegen ihn gerichteten Koalitionen im Keim zu ersticken, dafür aber Unverträglichkeiten zwischen Kollegen zu fördern« (Reuter 153). So aber kann keine Führung gelingen. Die Energie dient nicht der Sache, sondern der eigenen Macht. Dann kann keim Team entstehen, sondern nur »eine gemischte Raubtiergruppe ohne Dompteur«, wie ein Bankier den Vorstand bei Daimler-Benz bezeichnete. In so einer Firma gehen die meisten Energien dadurch verloren, daß jeder nur um seine Macht und seinen Einfluß kämpft. Dafür sind dann alle Mittel recht. Man gibt die nötigen Informationen nicht weiter. Man läßt die andern im Dunkeln und kocht nur an der »eigenen Suppe« weiter. Wenn es den Leitenden nicht um sachliche Auseinandersetzung, sondern um persönliche Eitelkeiten geht (vgl. 179), dann geschieht das auf Kosten der Firma, ja sogar der Gesellschaft. Dann geraten Tausende von Arbeitsplätzen in Gefahr, und um die Firma herum entsteht ein Gerangel um die ersten Plätze, aber kein Klima, das die Gesellschaft in positivem Sinne prägen könnte.

Der Tübinger Philosoph Otfried Höffe hat in seinem Buch »Moral als Preis der Moderne« Bausteine für ein ökologisches Weltethos erarbeitet, die den beiden Haltungen der Weisheit und Nüchternheit (Besonnenheit) bei Benedikt entsprechen. Für ihn sind die beiden wichtigsten ökologischen Tugenden die Gelassenheit und die Besonnenheit. Die Gelassenheit fordert Höffe »gegen die selbstüberschätzende Hybris der Wissenschaft« und die Besonnenheit »gegen die Maßlosigkeit von Technik und ökonomischer Rationalität« (Küng 330). Die Nüchternheit, die Benedikt vom Cellerar verlangt, sieht die Dinge, wie sie sind, und setzt ihnen das Maß, das ihnen entspricht. Wirtschaften gerät heute leicht in den Sog der Maßlosigkeit. Man möchte immer weiter wachsen, immer mehr verdienen. Nur der weise und nüchterne Führer wird dieser Versuchung zur Maßlosigkeit widerstehen können und sich mit dem Maß begnügen, das für ihn und seine Firma angemessen ist.

Bescheidenheit

Der Cellerar soll kein Vielesser sein. Das lateinische Wort »edax = gefräßig« wird normalerweise von Tieren gebraucht. Ein Zeichen der Reife eines Menschen ist, daß er auch mit den Dingen auf menschliche Weise umgehen kann. Beim Essen wird oft genug deutlich, daß ein Tier in uns steckt. Wir essen einfach in uns hinein. Wer die Speisen wirklich genießt, der wird nie zuviel essen. Er wird sich freuen an der Kultur des Mahles. Er wird in den Speisen Gottes gute Gaben kosten. Wer das Essen in sich hineinschlingt, der ist nicht in Berührung mit dem, was er ißt. Die Psychologen sagen uns, daß unsere Art zu essen sehr viel aussagt über unsere Beziehung zur Welt. Wer die Speisen in sich hineinschlingt, der wird auch Menschen »verschlingen« und für sich benützen, der wird auch die Schöpfung ausbeuten. Er wird alles nur für sich gebrauchen. Er wird genauso gierig auf Geld aus sein und danach streben, ständig seinen Besitz und seine Macht zu mehren. Er wird alles nur dazu verwenden, seinen Erfolg zu vergrößern, anstatt mit seiner Führungsaufgabe den Menschen zu dienen. Es geht ihm nicht um das Gemeinwohl, sondern nur um seine eigenen unermeßlichen Bedürfnisse. Aber da er noch soviel in sich hineinstopfen kann, ohne je satt zu werden, wird er nie zufrieden sein. Mit seiner inneren Unzufriedenheit wird er seine Mitarbeiter anstecken. Er wird blind für die eigentliche Aufgabe des Führens und für seine Verantwortung für die Gesellschaft.

Was Benedikt mit der Gefahr des »Vielessens« meinte, zeigt sich heute in anderen Bereichen. Da brauchen Spitzenmanager möglichst teure Hotelzimmer. Sie messen ihren Wert an den Kosten ihrer Reisen, ihrer Jagdausflüge und Empfänge oder an der Größe ihres Dienstwagens. Reuter, der selbst viel reisen mußte, stellt im Blick auf seine Kollegen die Frage: »Lohnt es sich wirklich, darüber nachzusinnen, welchen suchtartigen Reiz das Reisen und die Übernachtung in Luxushotels immer wieder auf manche Menschen auszuüben scheinen, wie sehr sie als Aufputschmittel zu wirken vermögen, mit allen darin liegenden Gefühlen der Lust, aber auch den Gefahren, die sich daraus ergeben mögen?« (Reuter 196) Wer nicht von anderen Werten her lebt, wird solcher Gefahr immer wieder erliegen. Für Reuter sind die Erlebnisse der Natur wichtig, die ihn daran gemahnen, »wie unwichtig du bist angesichts der Wunder dieser Erde, ... daß auch dein Leben endlich ist« (196). Nur wer wie Benedikt über sich hinaussicht und in allem Gott sucht anstatt sich selbst, wird die Haltungen verkörpern können, die die Regel vom Cellerar verlangt. Wer nur um sich kreist, wird alles nur für sich benützen. Der Transzendenzbezug relativiert unsere Sucht nach Erfolg und Besitz. Er zeigt uns, daß es im Leben letztlich um Gott geht und nicht nur um Erfolg und Leistung, um Profit und Einkommen.

Demut

Die Eigenschaften, die Benedikt von der Führungspersönlichkeit erwartet, könnte man auch Tugenden nennen. Tugend kommt von taugen. Nur der taugt für die Führung, wer die Tugenden (lateinisch: virtutes = Kräfte) in sich verinnerlicht hat. Eine solche Tugend ist die Demut. Benedikt fordert vom Cellerar, daß er nicht hochmütig ist (non elatus). »Elatus« ist der, der sich über die Menschen erhebt, der sich über sie stellt. Er muß die Menschen klein machen, um an seine eigene Größe glauben zu können. Viele mißbrauchen ihre Macht, indem sie andere klein machen und sich über sie stellen, indem sie andere entwerten, um sich selbst aufzuwerten. Benedikt verlangt vom Cellerar, daß er demütig ist, daß er den Mut hat, seine eigene Menschlichkeit anzuschauen. Vom Abt sagt er, daß er immer seiner eigenen Gebrechlichkeit mißtrauen sollte (vgl. RB 64,13). Demut heißt, die eigene Zerbrechlichkeit und Unbeständigkeit (fragilitas) anzunehmen, anzuerkennen, daß man ein Mensch ist, der ständig fallen, dessen Lebensgebäude leicht zusammenbrechen kann. Demut ist der Mut, hinabzusteigen in seine Menschlichkeit, in seinen eigenen Schatten. Statt sich emporzuheben, soll der Demütige hinuntersteigen von seinem hohen Thron und erkennen, daß er von der Erde (humilitas kommt von humus) genommen ist. Nur dann wird er sich nicht über andere stellen, sondern menschlich mit ihnen umgehen und sie in ihrer Würde achten. Er wird nicht arrogant durch das Unternehmen laufen und über die Mitarbeiter hochnäsig (mit erhobener Nase) hinwegsehen, sondern sich in sie einfühlen und ihnen dort begegnen, wo sie stehen. Er wird sie verstehen, d. h. er wird zu ihnen stehen und sich vor sie stellen, wenn sie Probleme haben.

Der amerikanische Psychologe John R. O'Neill sieht im

Hochmut die größte Gefahr für die Verantwortlichen in den Unternehmen. Er erzählt von einem erfolgreichen Wall-Street-Händler, den sein Erfolg dazu verleitet hat, seine spirituellen Gefühle zu vergraben. Erfolg »ist die Brutstätte der Selbstüberhebung« (O'Neill 119) und führt den Menschen dazu, seine Schattenseiten zu verdrängen. Daher, meint O'Neill, sei es die wichtigste Aufgabe für Menschen in Führungspositionen, den Hochmut zu vermeiden. Er stellt eine Checkliste auf, die »man als Frühwarnsystem für aufkommenden Hochmut benutzen« kann: »Wenn wir anfangen, uns besondere Fähigkeiten zuzuschreiben, etwa daß wir unfehlbar seien bei der Einschätzung anderer oder daß menschliches Irren bei uns nicht vorkomme, sehen wir bereits dem Schatten ins Gesicht. Sobald wir von Menschen, die anderer Ansicht sind als wir, behaupten, sie seien Quertreiber, geistig minderbemittelt, neidisch oder unfähig, das Ganze zu erfassen, betreten wir den Weg zu eigenem künftigen Leiden. Wenn wir uns als Inhaber einer Führungsposition abzuschotten beginnen und den Kreis der Berater, denen wir vertrauen, immer enger ziehen, haben wir begonnen, ›den Botschafter zu töten‹, das heißt alle anderen Meinungen abzuwürgen. Wo Hochmut ist, da will das Ego stets die erste Geige spielen und scheut kein Machtgerangel um Nebensächlichkeiten wie gesellschaftliche Formen, Sitzordnung, Versammlungsort.« (O'Neill 119f) Der Hochmut führt dazu, daß wir aufhören zu lernen. Das Ego bläht sich immer mehr auf. Es meint, es könne machen, was es wolle. In Wirklichkeit wird es vom verdrängten Schatten gesteuert. Und je mehr der Schatten verdrängt wird, desto zerstörerischer wirkt er. Die Demut, die Benedikt vom Cellerar fordert, ist bereit, den eigenen Schatten anzuschauen. Für O'Neill ist die Integration des Schattens die Voraussetzung für einen dauerhaften Erfolg: »Um den Weg zu künftigem Erfolg ausfindig zu machen, müssen wir jeden Tag ein Stückchen von unserem Schatten zu uns nehmen ... Wenn der Erfolg jemandem treu bleibt, so liegt es daran, daß er sich auf diese Arbeit versteht.« (O'Neill 120)

Nicht aufgeregt sein

Die nächste Eigenschaft des Cellerars ist »nicht aufgeregt – non turbulentus«. »Turbulentus« heißt: unruhig, stürmisch, Unruhe erregend, voller Verwirrung, verwirrt. Es kommt von dem Wort »turba = Lärm, Unordnung, Verwirrung, Zerrüttung, Spuk«. Es bezeichnet einen Menschen, der nicht zur Ruhe kommen kann, weil er ständig vom Lärm seiner eigenen Gedanken bestimmt wird, weil er hin- und hergerissen wird von den verschiedenen Emotionen, die in ihm sind. Es ist ein Mensch, der nicht klar denken kann, der vielmehr innerlich verwirrt ist. In ihm hausen viele Emotionen, die an ihm zerren. Sie halten sein inneres Haus besetzt. Er ist nicht Herr in seinem Haus, sondern den »Hausbesetzern«, seinen Leidenschaften und Emotionen, ausgeliefert. Von so einem Menschen kann keine klare Führung ausgehen. Er wird vielmehr nur Unruhe stiften. Er wird bei allem, was er tut, seine Emotionen mit ins Spiel bringen. Und so entsteht ein »Emotionsbrei« um ihn herum. In manchen Firmen spürt man, wie um einen Abteilungsleiter ein Sumpf von Emotionen liegt, der es allen Mitarbeitern schwer macht, sachlich zu arbeiten. Man verbraucht seine Energie nur damit, sich durch den Sumpf hindurchzuarbeiten. Manche verwechseln ihre innere Unruhe mit Hektik und Hetze, die sie um sich verbreiten und von ihren Mitarbeitern fordern. Aber wenn ein Abteilungsleiter seine Mitarbeiter ständig in Hektik bringt, dann führt er sie nicht nach vorne. Vielmehr schafft er nur eine Unruhe, die letztlich nichts bewegt. Wenn er sie in Hektik hinein hetzt, dann ist das letztlich Ausdruck seines Hasses. Denn das Wort »hetzen« kommt von hassen. Weil der in sich zerrissene Mensch sich selbst haßt, haßt er auch die andern. Anstatt sie zu führen, hetzt er sie, treibt sie in Unruhe und Verwirrung. Er meint, wenn er Unruhe um sich verbreitet, dann würde er die Leute zum Arbeiten anspornen. Aber in dieser Unruhe kann überhaupt nicht effektiv gearbeitet werden. Bei manchen Abteilungsleitern hat man den Eindruck, daß sie Hektik mit Führung verwechseln, daß sie sich beweisen möchten durch die Hetze, in der sie selbst stecken und in die sie andere treiben. Aber das ist nicht Führung, sondern eine Form von Menschenhaß, der nicht aufbaut, sondern zerstört. Dagegen verlangt Benedikt vom Cellerar innere Ruhe, Herzensruhe. Nur wer bei sich sein und in Gott zur Ruhe kommen kann, wird auch um sich eine Atmosphäre der Ruhe erzeugen, in der die Mitarbeiter sich wohl fühlen und sich gerne ihrer Arbeit widmen. Nicht in der Hektik, sondern in der Ruhe liegt die Kraft. Aber der Verantwortliche wird nur dann zu seiner inneren Ruhe finden, wenn er seiner eigenen Wahrheit nicht ausweicht, wenn er vor Gott aushalten kann, was in ihm in der Stille auftaucht, weil er sich ganz und gar von Gott angenommen weiß.

Gerecht sein

Als nächstes fordert Benedikt, daß der Cellerar nicht grob sei, nicht ungerecht (non iniuriosus). »Iniuria« ist nicht nur das Unrecht, sondern auch die Gewalttätigkeit, die Entehrung, der Schaden, die Verletzung. Wer andere leitet, darf sie nicht verletzen. Ein wichtiger Grundsatz der Psychologie ist, daß der, der seine eigenen Verletzungen nicht anschaut, dazu verdammt ist, entweder andere zu verletzen oder sich selbst. Oder aber er sucht sich unbewußt Situationen aus, in denen die Verletzungen der Kindheit sich wiederholen. Jeder von uns wird in seinem Leben verletzt. Die Verletzungen können auch eine Chance sein, daß wir daran wachsen und sensibel werden für andere. Aber wer sich seinen eigenen Wunden nicht stellt, der wird ständig andere kränken oder er wird sich selbst verletzen. Von einem, der für andere Verantwortung übernimmt, verlangt Benedikt, daß er sich den eigenen Verletzungen gestellt hat. Die Beschäftigung mit der eigenen Lebensgeschichte ist daher die Voraussetzung, andere richtig zu führen. Denn sonst vermischt sich die unaufgearbeitete Lebensgeschichte mit den eigentlichen Aufgaben. Viele meinen, Führen sei vor allem, Macht auszuüben. Und nicht wenige üben diese Macht aus, indem sie andere verletzen und kränken. Wenn ein Vorgesetzter einen Mitarbeiter so verletzt, daß er weint oder verstummt, dann ist das für ihn die einzige Weise, seine Macht zu spüren. Aber das ist keine wirkliche Macht. Das ist vielmehr Weitergeben der eigenen Verletzung. Wenn ich andere verletze, wecke ich in ihnen kein Leben, sondern verhindere Leben. Daher ist Führen durch Verletzen gerade das Gegenteil eines effektiven Führens. Aber es geschieht sehr häufig, daß die Verantwortlichen ihre Mitarbeiter verletzen. Das kann schon morgens beim Rundgang durch das Büro geschehen. Statt den einzelnen anzuschauen und zu begrüßen, sehen manche nur die Fehler, die ihnen in die Augen fallen. Oder es gibt die vielen Nadelstiche. Gerade zwischen Männern und Frauen geschehen heute in den Betrieben etliche Verletzungen. Ein Chef meint, er müsse seine Sekretärin ständig entwerten, ihr zeigen, wer hier Herr im Hause ist. Tiefe Verletzungen geschehen, indem ich jemand auf seinen Leib anspreche. Wenn der Chef seiner Sekretärin sagt, sie sei zu dick, sie sehe nicht attraktiv aus, dann ist das eine tiefe Verletzung. Denn dagegen kann sie sich nicht wehren. In unseren Betrieben geschehen so viele Kränkungen, weil eine große Zahl gekränkter Menschen Leitungsaufgaben wahrnimmt und ihre eigenen Verletzungen weitergibt. Aber Kränkungen machen krank und treiben den Krankenstand in einer Firma hoch. Was die Verantwortlichen durch Organisation und Kontrolle einsparen wollen, das geht ihnen doppelt durch einen hohen Krankenstand wieder verloren.

Nicht verletzen ist die eine Bedeutung des Wortes »non iniuriosus«. Die andere meint, daß der Cellerar gerecht sein soll, daß er allen Mitarbeitern und ihren Bedürfnissen gerecht wird, daß er jeden gerecht behandeln soll. Gerechtigkeit setzt voraus, daß jeder Mitarbeiter Rechte hat, die gewahrt werden müssen. Da ist das Recht, er selbst zu sein, das Recht auf Freiheit, auf Würde, auf Achtung und Ehrfurcht. Der Leiter kann nur dann gerecht sein, wenn er seine eigenen Vorurteile beiseite läßt. Er muß zuerst einmal sehen, wieviele Vorurteile er unbewußt immer noch hat. Erst wenn er sie erkennt, kann er sich davon distanzieren. Die »Unbestechlichkeit des Urteils« ist die Voraussetzung der gerechten Behandlung der einzelnen. »Das Tun des Rechten beginnt in der Weise des Denkens.« (Demmer 502) Erst wenn ich frei geworden bin von den Trübungen meines Denkens, werde ich die Menschen richtig sehen und dann auch richtig mit ihnen umgehen. Gerechtigkeit meint, daß ich alle gleich behandle, daß ich keinen bevorzuge, daß ich keine »Vetternwirtschaft« betreibe. Denn die erzeugt nur Spaltung und Eifersucht. Mitarbeiter schätzen immer, wenn ihr Chef gerecht ist. Er darf ruhig streng sein. Aber wenn er gerecht ist und unbestechlich in seinem Urteil, dann wird er von allen geachtet.

Die nächste Eigenschaft, die vom Cellerar gefordert wird, erscheint uns allzu äußerlich. Er soll nicht langsam sein, »non tardus«. Die Entdeckung der Langsamkeit als Tugend ist heute ein wichtiges Gegengewicht gegen die Hektik und Beschleunigung der Zeit. Aber Benedikt hat sicher nichts dagegen, daß der Cellerar bedächtig arbeitet und ganz in dem ist, was er gerade tut. Im Lateinischen meint »tardus« langsam, träge im Gemüt, zögerlich, stumpfsinnig, dumm. Es gibt eine Langsamkeit, die auf eine Blockade der Seele schließen läßt. Manche Menschen sind langsam in ihrem Tun, weil ihre Seele von irgendwelchen Problemen blockiert wird. Sie sind zu sehr mit sich selbst beschäftigt. Daher geht ihnen nichts von der Hand. Sie fahren gleichsam mit angezogener Handbremse und verbrauchen zuviel Energie für sich selbst und für den eigenen Seelenhaushalt. So bleibt keine Energie mehr übrig, die nach außen fließen könnte. Für die frühen Mönche war die effektive Arbeit, die einem von der Hand geht, ein Kennzeichen eines spirituellen Menschen. Wenn jemand mit seiner inneren Quelle in Berührung ist, mit der Quelle des Heiligen Geistes, dann sprudelt die Arbeit aus ihm heraus, dann strömt etwas von diesem Menschen aus. Im lateinischen Wort »tardus« klingt das Zögerliche mit. Es gibt Menschen, die sich nicht entscheiden können, weil sie zu perfektionistisch sind. Sie haben Angst, Fehler zu machen. So entscheiden sie lieber gar nicht. Sie zögern alles hinaus, bis sie zuletzt nicht mehr frei sind zu entscheiden. Gorbatschow hat bei seinem DDR-Besuch gegenüber Honecker den berühmten Satz geprägt: »Wer zu spät kommt, den bestraft das Leben.« Viele kommen zu spät, weil sie Angst haben, etwas zu verändern, weil sie Angst haben vor den Konsequenzen ihrer Entscheidung. Wer andere führen will, muß sich klar und zügig entscheiden. Er kann nicht warten, bis alles hundertprozentig klar ist. Die klare Entscheidung ist für Benedikt eine spirituelle Tugend. Sie kommt aus dem inneren Gespür heraus, in dem der Mönch auf die Stimme des Hl. Geistes in sich hört und ihr traut.

Die Unfähigkeit zu entscheiden hängt oft mit einer perfektionistischen Haltung zusammen. Weil man unter allen Umständen keinen Fehler machen will, traut man sich nicht, Entscheidungen zu treffen. Man wartet, bis andere entscheiden. Aber indem man eine Entscheidung hinauszögert, um ja keinen Fehler zu machen, macht man gerade alles falsch. In manchen Betrieben hat man den Eindruck, daß die Chefs vor allem ihren Posten behalten wollen. Daher ist es ihre wichtigste Aufgabe, nicht aufzufallen und keinen Fehler zu machen. Aber dann kann auch nichts Neues entstehen, dann gehen Phantasie und Innovation verloren. In dieser Angst zu entscheiden kreist man nur um sich selbst und seine Fehlerlosigkeit. Man hat nicht die Menschen und das Unternehmen im Blick, sondern fragt egozentrisch immer nur nach den möglichen Folgen für einen selbst. Die Folgen für das Unternehmen treten dann in den Hintergrund. Die Entscheidungsunfähigkeit ist wohl das größte Hindernis für echte Führung. Wenn in einem Betrieb Entscheidungen ständig aufgeschoben werden, dann werden die Mitarbeiter unzufrieden und sie werden in ihrem Elan gebremst. Sie wissen nicht, worauf sie sich verlassen können. Sie warten vergeblich auf Entscheidungen. In diesem Warten wachsen die Aggressionen gegen die Firmenleitung und gegen sich selbst. Die Aggressionen werden nicht mehr in die richtige Richtung geleitet. Sie führen dazu, daß man nichts mehr anpackt, sondern sich selbst zerstört und das Betriebsklima beeinträchtigt.

Der Cellerar soll nicht verschwenderisch sein (non prodigus). Er soll behutsam mit den Dingen umgehen und sie nicht verschleudern. Das deutsche Wort verschwenden heißt ursprünglich »verschwinden machen, etwas vernichten und zerstören«. Anstatt das Vermögen zu verschwenden, anstatt die Schöpfung auszubeuten, soll der Cellerar sorgsam auf alles achten, was ihm anvertraut ist. Er hat nicht die Macht über die Dinge bekommen, sondern nur das Amt des sorgfältigen Achtens auf das, was ist, damit alles richtig behandelt wird, damit alles dem Zweck dient, den es von Gott her bekommen hat. Verschwendungssucht weist auf einen Charakter hin, der gestört ist durch mangelndes Selbstwertgefühl oder durch inneres Chaos. Weil er sich als wertlos erlebt, muß er mit den Dingen verschwenderisch umgehen, muß er allen zeigen, wieviel ihm zur Verfügung steht. Weil er innerlich ohne Struktur ist, läßt auch sein Umgang mit den Dingen jede Struktur vermissen. Auch hier wird wieder die gleiche Struktur deutlich wie in der Unfähigkeit zu entscheiden. Man benützt die Dinge für sich, anstatt den Dingen zu dienen. Man verschwendet das Vermögen, um durch sein großspuriges Verhalten die eigene Minderwertigkeit zu kompensieren. Alles dient nur mir selbst. Führen aber heißt, den Menschen und den Dingen zu dienen, zuerst die Menschen und das Wohl des Unternehmens im Auge zu haben und nicht in erster Linie das eigene Prestige. Gutes Umgehen mit den Dingen verlangt innere Distanz zu mir selbst, Freiheit von mir, Freiheit von dem ständigen Kreisen um mich selbst, Freiheit von der Frage, was es mir bringt.

Gottesfurcht

Gegenüber diesen negativen Eigenschaften, die der Cellerar nicht haben soll, setzt Benedikt als Zusammenfassung einen zentralen Begriff, den wir nicht unbedingt bei einem Mann erwarten, der die Finanzen in Ordnung halten soll: Er sei gottesfürchtig (timens Deum). Gottesfurcht meint die Betroffenheit durch Gott. Ich lasse mich treffen von Gott. Ich lasse mich berühren von den Dingen, die Gott mir geschenkt hat. Ich gehe achtsam damit um. Die hl. Hildegard von Bingen hat die Gottesfurcht als eine Frau gemalt, die am ganzen Körper nur aus Augen besteht. Sie ist die achtsame Frau, die mit ihrem ganzen Leib auf das achtet, was um sie herum ist, die Gott in allem sieht und sich in allem von Gott berühren und treffen läßt. Der Gottesfürchtige hat ein Gespür dafür, daß er mit seiner ganzen Existenz vor Gott steht und auf Gott ausgerichtet ist. Wenn vom wirtschaftlichen Verwalter Gottesfurcht gefordert wird, dann zeigt Benedikt, daß für ihn die Spiritualität nicht etwas rein Übernatürliches ist, sondern daß sie sich ausdrückt in einem guten Wirtschaften, in einem angemessenen Umgang mit den Dingen. Wer Gott nicht fürchtet, der geht auch nicht sorgfältig mit den wirtschaftlichen Dingen um. Daher weisen wirtschaftliche Probleme der Klöster immer darauf hin, daß auch die Spiritualität nicht stark genug ist, alle Bereiche einzubeziehen. Die Spiritualität ist vielleicht nur liturgisch oder ästhetisch. Aber sie hat nicht die Kraft, die Welt zu durchdringen. Sie achtet nicht sorgsam genug auf die wirtschaftlichen Verhältnisse, auf die finanziellen Belange. Sie verschließt die Augen vor den wirtschaftlichen Notwendigkeiten, denen man sich stellen müßte. Man verschanzt sich hinter Ideologien, um der Realität nicht ins Auge sehen zu müssen. Eine Ideologie ist z. B., daß man jede Arbeit selbst machen müsse, daß ein Kloster keine Angestellten haben sollte. Das weist immer auf Realitätsferne hin. Anstatt Arbeit richtig zu organisieren, ideologisiert man sie. Das geschieht aber nicht nur in den Klöstern. Das geschieht genauso in der Wirtschaft. Da wird die Arbeit nur noch instrumentalisiert. Nur die Arbeit zählt, die Geld bringt. Das ist eine ähnliche Ideologisierung der Arbeit, wie sie in den Klöstern zu beobachten ist. Aber damit achtet man nicht mehr auf die Realität. Man hat die Gottesfurcht verloren, die Achtsamkeit und Behutsamkeit bedeutet. Gottesfurcht heißt immer auch Ehrfurcht vor dem Menschen. Sie drückt sich in der Achtung des Menschen aus. Für Benedikt gehören Gottesfurcht und der Glaube an Christus im Bruder und in der Schwester zusammen. Wer Gott fürchtet, der sieht auch im Menschen Gottes Ebenbild.

Für uns klingt das Wort »Gottesfurcht« fremd. Aber wer Gott fürchtet, der fürchtet nicht um sich selbst. Er ist auf Gott bezogen und nicht auf sich selbst. Gottesfurcht befreit von Menschenangst. Wer Angst hat, Fehler zu machen und vor den Menschen nicht gut dazustehen, der ist nicht fähig, andere zu führen. Denn bei aller Führung bleibt er letztlich immer nur bei sich selbst stehen. Er sieht die andern nur durch die Brille, was sie ihm »bringen«. Gottesfurcht befreit von der krankhaften Bezogenheit auf mich selbst, von der Angst um mich und meinen Erfolg. Wer Gott fürchtet, wird frei von der Angst vor Versagen, vor Mißerfolg, vor Kritik. Und die Gottesfurcht befreit mich, daß ich frei von mir selbst die Menschen und die Dinge von Gott her sehe und ihnen daher gerecht werde. Ich werde mit Menschen und Dingen so umgehen, wie es Gott entspricht, der Menschen wie Dinge geschaffen hat.

Wie ein Vater

Die letzte Weisung, daß der Cellerar wie ein Vater sein soll, scheint uns heute fremd zu sein. Wir rebellieren gegen einen patriarchalen Führungsstil. Es geht heute um einen kollegialen und einen kommunikativen Führungsstil. Aber Benedikt hat mit seinem Wort vom Vater etwas anderes im Sinn, das auch heute noch von Bedeutung ist. Der Cellerar soll die Qualität des Vaters an sich haben, und zwar für die ganze Gemeinschaft und für jeden einzelnen. Der Vater ist von der Erziehung her der, der dem Kind das Rückgrat stärkt, der ihm Mut macht, etwas zu wagen und zu riskieren, das Leben selbst in die Hand zu nehmen. Wenn jemandem diese Vatererfahrung fehlt, wenn er keinen Vater erlebt hat, der ihm den Rücken frei hielt, dann sucht sich der Mensch oft einen Rückgratersatz. Und das ist die Ideologie, das sind die festen Normen, die starren Prinzipien. Wenn sich in manchen Firmen alle nur hinter den Normen verschanzen, ist das Ausdruck mangelnder Vatererfahrung. Mitscherlich spricht von der vaterlosen Gesellschaft. Nach dem Krieg mußten viele Kinder auf ihren Vater verzichten, weil er gefallen oder noch in Gefangenschaft war. Aber Mitscherlich meint, daß auch heute noch viele Väter ihre Aufgabe als Vater verweigern und etliche Kinder vaterlos aufwachsen. Wenn der Cellerar wie ein Vater sein soll, dann heißt das, daß er den Mitarbeitern Mut macht, etwas zu wagen, ein Risiko einzugehen, auch Fehler zu machen. In vielen Betrieben haben die Verantwortlichen Angst, einen Fehler zu machen. Es geht ihnen nur um den eigenen Stuhl, nicht um das Wohl der Firma. Wenn Unternehmen von Menschen geführt werden, die nicht für ihr Tun einstehen, die die Fehler bei den andern suchen, die nur ängstlich um die eigene Karriere bemüht sind, dann werden die Unternehmen über kurz oder lang in Schwierigkeiten geraten. Gerade deutschen Managern sagt man nach, daß sie wenig Mut haben, ihren Mitarbeitern den Rücken zu stärken und sie darin zu fördern, etwas zu wagen. Offensichtlich ist die alte Mentalität nicht so leicht auszurotten, daß man lieber Befehlsempfänger züchtet als risikofreudige Mitarbeiter.

Dem Vater geht es nie um das eigene Prestige, sondern immer um das Wohl der Familie. Er fördert die Kinder, er gibt ihnen Mut, etwas zu wagen. Er hält ihnen den Rücken frei, damit sie ihre eigenen Wege gehen. Er schenkt ihnen einen Vorschuß an Vertrauen, damit sie ihre eigenen Erfahrungen machen können. Wenn wir den Vater als Bild des Verantwortlichen bedenken, dann entsteht ein anderer Typ von Führern, als sie heute so weit verbreitet sind. Nicht ängstliche, auf ihre Karriere bedachte Manager, sondern Verantwortliche, die Leben wecken in ihren Mitarbeitern, die ihnen den Rücken stärken, die ihnen Mut machen, eigene Wege zu gehen, neue Lösungen zu suchen. So möchte Benedikt nicht eine Gemeinschaft, die sich ängstlich an Normen klammert, sondern eine, die Mut hat und neue Wege geht.

Die hohen Anforderungen, die Benedikt an den Cellerar stellt, verlangen eine harte Schule der Selbsterkenntnis und die Bereitschaft, an sich selbst zu arbeiten. Man kann seinen Charakter nicht völlig umkrempeln. Aber wenn ich mich so annehme, wie ich bin, dann kann sich in mir etwas wandeln, dann können sich negative Verhaltensweisen ändern. Je bewußter ich mit mir umgehe, je konsequenter ich mich auf meinen inneren Weg einlasse, desto stärker wird ein Prozeß der Verwandlung in Gang kommen. Manchen Managern täte es besser, sich zuerst einmal mit sich selbst zu beschäftigen und die eigene Seele zu erforschen, anstatt sich gleich mit schwierigen Mitmenschen und mit einer besseren Organisation der Firma zu befassen. Denn nur der, der sich seiner selbst bewußt wird, ist davor geschützt, daß seine unbewußten Bedürfnisse und verdrängten Leidenschaften seine Sichtweise trüben und seine Führung verfälschen.

2. Die Weise des Führens –
Das Menschenbild Benedikts

Benedikt beschreibt nun konkret, wie der Cellerar seine Aufgabe erfüllen, wie er führen soll:

»Er trage Sorge für alles. Ohne Weisung des Abtes tue er nichts. Er halte sich an seinen Auftrag. Die Brüder soll er nicht betrüben. Äußert vielleicht ein Bruder unvernünftige Wünsche, soll er ihn nicht kränken, indem er ihn mit Verachtung abweist, sondern in Demut und unter Angabe der Gründe die ungehörige Bitte ablehnen.« (RB 31,3–7)

Sorgfalt

Der Cellerar soll sich um alles sorgen. Das heißt nicht, daß er sich in Sorgen verzehren soll. »Cura« meint vielmehr auch Sorgfalt. Er habe alles im Blick, er gehe mit allem, was ihm anvertraut ist, sorgfältig um, mit den Menschen genauso wie mit den Dingen. Benedikt meint auch nicht, daß der Cellerar alles allein machen müsse, anstatt manches auf andere zu delegieren. Der Chef, der sich selber um alles sorgt, der sich in alle Kleinigkeiten einmischt, ist heute eher kein Vorbild. Aber der Chef soll alles im Blick haben. Er hat alles so zu organisieren, daß die Verantwortlichen einer Firma alle Bereiche gut leiten und versorgen können. Es genügt nicht, wenn ich nur den Erfolg im Blick habe, aber nicht sehe, wie es den Menschen dabei geht. Es ist zu wenig, nur auf die Effektivität zu sehen und dabei das Betriebsklima zu übersehen. Wenn ich nicht auf die Kultur, die das Unternehmen bestimmt, und auf das Miteinander achte, wird auch bald das Ergebnis schlechter werden.

Daß der Cellerar ohne Befehl des Abtes nichts tun soll, scheint uns eher auf Unterwürfigkeit schließen zu lassen als auf Kreativität. Aber das ist nicht gemeint. Der Cellerar soll selbst Phantasie entwickeln und neue Ideen einbringen. Aber er ist verpflichtet, in allem, was er tut, auch die Rückbindung an den Verantwortlichen zu suchen. Er darf nicht einfach seine Lieblingsideen durchdrücken. Es ist erforderlich, sie erst einmal vom Abt überprüfen zu lassen, der ihm übergeordnet ist. Manchen Firmenchefs täte es gut, wenn sie ihre Ideen erst einmal einem Gremium vorlegen würden, anstatt jede Idee sofort in die Tat umzusetzen. Wenn ein Chef ständig seine Lieblingsideen verwirklicht, entsteht in der Firma eine ziellose Unruhe, die nichts bringt. Dann sind die Mitarbeiter den Launen des Chefs ausgeliefert. Und die klare Linie geht verloren. Der Abt ist wie ein Supervisor, der die Ideen des Cellerars erst einmal prüft. Das verlangt vom Cellerar, daß er sie selber klarer durchdenkt und sie so formulieren kann, daß sie den Abt überzeugen. So ist gewährleistet, daß nicht jede unausgereifte Idee sofort in die Tat umgesetzt wird, sondern eine gute Kontinuität gewahrt wird.

Achtsamkeit

Im Lateinischen heißt die nächste Forderung an den Cellerar: »Quae iubentur custodiat« = was aufgetragen wird, beachte er. »Custodire« heißt bewachen, achten, behüten, beobachten. Hier geht es Benedikt vor allem um die Achtsamkeit. Der Cellerar soll die Aufträge des Abtes nicht einfach übernehmen und recht und schlecht ausführen. Er muß sich vielmehr Gedanken machen, was damit gemeint ist, und den Sinn überprüfen, der hinter den Wünschen des Abtes steckt. Es geht hier nicht in erster Linie um den Gehorsam, sondern um die Achtsamkeit mit dem, was von mir verlangt wird, um die Behutsamkeit bei allen Entscheidungen und um einen behutsamen und achtsamen Umgang mit den Menschen.

An den »guten Kern« im Menschen glauben

Was Benedikt unter Führung versteht, wird in den Anweisungen sichtbar, daß er die Brüder nicht betrüben, niemanden kränken und verletzen, sondern jeden achten soll, selbst den, der mit unvernünftigen Bitten an ihn herantritt. Hier wird das Menschenbild Benedikts sichtbar. In jedem steckt ein guter Kern, auch in dem, der scheinbar ohne Vernunft ist, der sich nur um seine Wünsche dreht. Benedikt verlangt, daß jeder geachtet wird. Führen heißt nicht, daß ich den andern klein mache und ihn entwerte. Viele mißbrauchen ihre Führung. Sie vermitteln den Untergebenen das Gefühl, daß sie von ihrer Gnade leben. Wenn jemand etwas braucht, muß er erst bitten und sich in seiner Bitte klein machen, damit der Chef ihm seine Großzügigkeit erweisen kann. Gerade mit Geld kann man Menschen tief verletzen. Wenn ich dem, der Geld braucht, vermittle, daß er eigentlich keines verdient hat, dann verletze ich ihn. Benedikt verlangt, daß ich in jedem Menschen Christus sehe, daß ich in jedem einen guten Kern entdecke. Wenn ich an Christus im Bruder und in der Schwester glaube, übersehe ich nicht seine Fehler. Aber ich lege ihn nicht darauf fest. Ich sehe durch die Schwächen und Verdunkelungen seines Charakters hindurch auf den guten Kern. Damit aber ermögliche ich es auch dem andern, daß er selbst an seinen guten Kern glaubt. Somit ist der Glaube des Führenden gefragt. Man merkt es dem Führungsstil sofort an, ob der Verantwortliche von Mißtrauen und Angst geprägt ist, ob er ein pessimistisches Menschenbild hat oder ob er an den guten Kern im andern glaubt. Ein pessimistisches Menschenbild wird dazu führen, daß der Chef alle Mitarbeiter kontrollieren möchte. Aber je mehr er kontrollieren will, desto mehr Gegenkräfte weckt er in seinen Mitarbeitern. Und irgendwann wird ihm der Betrieb außer Kontrolle geraten. Denn es ist ein Grundgesetz der Psychologie, daß dem, der alles kontrollieren möchte, sein Leben todsicher außer Kontrolle geraten wird. Wenn die Kontrolle zum wichtigsten Instrument in einem Unternehmen wird, dann werden Kreativität und Phantasie unterdrückt, sterben Lust und Freude an der Arbeit ab und das Unternehmen wird über kurz oder lang ins Hintertreffen geraten.

Daß die Forderung, die Brüder nicht zu betrüben, durchaus ein wichtiges Führungselement sein kann, zeigt das Beispiel eines amerikanischen Energieversorgungsunternehmens. Die WPSC stellte für das ganze Unternehmen wichtige Grundsätze auf, die darauf abzielten, die Mitarbeiter nicht zu betrüben und zu bedrücken, sondern sie aufzurichten und aufzubauen. Ein Grundsatz ist: »Wir dürfen keine Verhaltensweisen tolerieren, die das Selbstwertgefühl der Menschen, ihre Hoffnungen, ihre Individualität oder ihre Würde untergraben. Wir müssen uns klarmachen, daß jeder Mitarbeiter zum Erfolg des Unternehmens beiträgt; deshalb müssen wir verhindern, daß jemand eine Arbeit verrichten muß, die seinen Fähigkeiten nicht entspricht oder ihn daran hindert, zum Erfolg des Unternehmens beizutragen. ... Die Arbeit sollte jeden Mitarbeiter bereichern und jedem Spaß machen.« (Secretan 292) Wenn wir die Mitarbeiter fördern und ihnen eine Arbeit ermöglichen, die ihnen Spaß macht, dann wird das Unternehmen auch auf Dauer Gewinn erwirtschaften. Wenn wir aber mit den Mitarbeitern nur »Löcher stopfen« und sie hin- und herschieben, damit wir die wichtigsten Posten irgendwie besetzen, dann wird sich über sie ein Schleier von Traurigkeit legen und sie bei ihrer Arbeit lähmen. Führung heißt, die Menschen zu motivieren, sie zu beflügeln, sie zur Kreativität ermutigen. »Löcher stopfen« ist keine Führung. Wir dürfen nicht zuerst die Posten sehen, die wir zu vergeben haben, und sie auf die Mitarbeiter verteilen, die uns zur Verfügung stehen. So geschieht es leider häufig in Klöstern. Da werden Frauen mit einer guten theologischen Ausbildung und vielen künstlerischen Fähigkeiten in die Küche gesteckt, weil man dort gerade jemanden braucht. Führung im Sinne Benedikts würde heißen, erst die Menschen zu berücksichtigen, die bei uns sind, und sie zu fördern. Wir müssen die Aufgaben nach den Menschen richten und nicht umgekehrt. Allerdings setzt das auch voraus, daß die einzelnen flexibel sind. Denn jeder Mitarbeiter ist nicht nur für einen einzigen Posten berufen, sondern hat in sich die Fähigkeit, an mehreren Orten effektiv und sinnvoll zu arbeiten.

Der Glaube an den guten Kern im andern verlangt vom Verantwortlichen nicht, daß er alle Wünsche erfüllen soll. Er darf durchaus Nein sagen und Wünsche zurechtrücken, wenn es angebracht ist, aber immer so, daß der andere sich nicht als Verlierer fühlt, daß er nicht erniedrigt und entwertet wird. Jeder, der andere führt, wird immer auch mit irrationalen Wünschen und Forderungen (inrationabiliter postulat) konfrontiert werden. Er soll darüber nicht hinwegsehen, sondern auch den Mut aufbringen, das Negative und Irrationale zur Sprache zu bringen. Aber auch bei einem sog. Tadelgespräch (Schürmeyer) darf es nie darum gehen, den Menschen zu kränken. Denn das würde ihn demotivieren. Ziel eines Tadelgesprächs ist immer, die Motivation des Mitarbeiters aufzubauen. Das gelingt nur, wenn ich nicht die

Person tadle, sondern sein Fehlverhalten. Es ist wohl ein Grundproblem jeder guten Führung, wie wir das Negative ansprechen können, ohne zu verletzen. Der Unternehmenstrainer Fritz J. Schürmeyer hat uns im Training der wichtigsten Entscheidungsträger im Kloster ähnliche Verhaltensweisen für Gespräche mit Mitarbeitern vermittelt, wie sie Benedikt fordert. Als wichtigste Regel gilt da: »Halte dem anderen die Wahrheit wie einen Mantel hin, in den er hineinschlupfen kann, schlage sie ihm nicht wie ein nasses Tuch um die Ohren.« (Schürmeyer 2) Wer mit einem Mitarbeiter über die Probleme sprechen will, die er verursacht, muß den andern als Person achten. Er braucht Wohl-Wollen, damit er gemeinsam mit dem andern nach Wegen sucht, die zu seinem Wohl und dem des Unternehmens beitragen. Er braucht Gelassenheit, um auch Entscheidungen zustimmen zu können, die anders ausfallen, als er sich das gedacht hat. Und er muß Verständnis für den andern aufbringen, auch wenn der nicht bereit ist, ihn selbst zu verstehen. (Vgl. Schürmeyer 7)

Benedikt spricht davon, daß der Cellerar die ungehörige Bitte ablehnen soll (male petenti deneget). »Denegare« heißt: nein zu etwas sagen, abschlagen, sich weigern. Wer jeden Wunsch erfüllen will, hat oft Angst vor Ablehnung. Er macht sich letztlich abhängig von den Menschen, bei denen er beliebt sein möchte. Benedikt setzt voraus, daß der Cellerar auch nein sagen kann, daß er auch das Ungehörige und Schlechte (male = böse, übel, schlecht) anspricht. Aber er darf es nie aus einem Affekt heraus tun. Und er soll immer die Würde des einzelnen vor Augen haben. Er muß der Person gerecht werden und darf sie nicht mit ihren übertriebenen Forderungen identifizieren. Wenn der Cellerar nein sagt, dann darf das nie emotional geschehen, sondern »rationabiliter« vernünftig. Er soll die Gründe angeben, warum er nein sagt. Der Bittsteller muß verstehen, warum seine Bitte abgeschlagen wird. Dann fühlt er sich trotzdem ernst genommen.

Der Verantwortliche muß im Gespräch »vernünftig und überlegt bleiben, auch wenn der andere emotional reagiert« (Schürmeyer 7). Er hat die Verantwortung, daß das Gespräch nicht in
gegenseitige Beschuldigungen ausartet, sondern daß die Vernunft letztlich siegt. Das braucht innere Klarheit und Festigkeit.
Und es bedarf eines gesunden inneren Abstands, damit ich mich
von den emotionalen Reaktionen des andern nicht anstecken
und bestimmen lasse. »Ratio« heißt nicht nur Vernunft, sondern
auch Rechnung. Der Cellerar soll in seiner Ablehnung berechen-
bar sein. Der Antragsteller muß sich selbst ausrechnen können,
was Aussicht auf Erfolg hat und was nicht. Rechnung verlangt
Gerechtigkeit. Nicht aus Willkür darf eine Ablehnung ausge-
sprochen werden, sondern immer aus klaren Gründen, aus einer
durchschaubaren Rechnung heraus.

Nicht betrüben

Entscheidend ist für Benedikt, daß der Verantwortliche keine
Traurigkeit vermittelt, sondern Ruhe und Frieden, Freude und
Lust am Leben. Benedikt steht hier in der Tradition der Wü-
stenväter. Ein Altvater sagte einem Mönch: »Betrübe deinen
Bruder nicht, denn du bist ein Mönch.« (Holzherr 191) Er defi-
niert den Mönch als einen, der seinen Bruder nicht betrübt. Das
lateinische Wort »contristet«, das Benedikt hier verwendet, bedeutet: »betrüben, traurig machen, verletzen und schaden«. Indem ich einen Menschen verletze und kränke, bewirke ich in
ihm Traurigkeit und Niedergeschlagenheit, die ihn lähmt und
ihm seine Kraft raubt. Das Thema der Traurigkeit war im alten
Mönchtum sehr präsent. Offensichtlich mußten viele Mönche
mit dem »Dämon der Traurigkeit« kämpfen. Basilius unterschei-
det die gottgewollte Traurigkeit, die zur »Sinnesänderung und

zum Heil« führt, und eine weltliche Traurigkeit, die den Tod zur Folge hat. Diese Traurigkeit lähmt. Sie entsteht nach Evagrius Ponticus, »wenn affektive Ansprüche frustriert werden, oder stellt sich als Folge der Aggressivität ein«. (Ebd 191) Der Cellerar muß oft die Ansprüche der Mönche enttäuschen. Er kann nicht jeden Wunsch erfüllen. Aber er darf nie den affektiven Anspruch frustrieren, den Anspruch auf Zuwendung und Ernstgenommen-werden. Wenn diese urmenschlichen Ansprüche nicht erfüllt werden, dann entsteht im Bruder ein Gefühl von Traurigkeit, von Selbstmitleid, von Sinnlosigkeit. Und solche Gefühle lähmen auch seine Arbeit. Die Achtung der Würde des einzelnen fördert daher auch die Arbeitsleistung.

Der Verantwortliche wird immer dann die Mitarbeiter verletzen, wenn er selbst verletzt ist. Er wird seine eigenen Verletzungen weiter geben. Daher muß er sich immer wieder mit den eigenen Verletzungen auseinandersetzen und sich mit ihnen aussöhnen. Nur so wird er frei werden von dem Zwang, die andern entwerten und verletzen zu müssen. Er wird die alten Muster aus seiner Lebensgeschichte durchschauen, die ihm den Blick trüben für die Bedürfnisse der Mitarbeiter. Wenn sein Blick nicht mehr getrübt ist, wird er auch nicht so leicht die Menschen um sich herum betrüben. Der Chef ist für seine eigene Gestimmtheit verantwortlich. Manche Leiter verbreiten um sich herum eine Stimmung von Traurigkeit. Manchmal merkt man das am Anfang gar nicht. Denn der Leiter ist nach außen hin freundlich und vielleicht sogar fröhlich. Er kann eine ganze Abteilung mit seinen Witzen unterhalten. Aber hinter der Fassade lauert eine tiefe Traurigkeit. Und diese verdrängte Traurigkeit legt sich mehr und mehr auf die Mitarbeiter und drückt das Betriebsklima nach unten. Es geht daher nicht nur darum, daß der Leiter sein Verhalten ändert und sich den Mitarbeitern gegenüber freundlich gibt. Er muß auch seine unbewußten Seiten, seine Schattenseiten, anschauen und sich bewußt machen. Sonst wirken sie destruktiv auf die Mitarbeiter. Wir sind auch für die Ausstrahlung verantwortlich, die wir haben. Ich kann meine Ausstrahlung allerdings nicht von heute auf morgen ändern. Es gibt keinen Trick, schnell eine positive Ausstrahlung zu bekommen. Ausstrahlung ist vielmehr das Ergebnis eines ehrlichen Umgangs mit sich selbst. Sich den eigenen Schattenseiten ehrlich zu stellen, ist oft schmerzlich und demütigend. Viele Verantwortliche scheuen diese mühsame Aufgabe. Aber dann legt sich all das Verdrängte auf die Mitarbeiter und trübt die Stimmung.

Es ist für eine Gemeinschaft nie gut, wenn es Sieger und Verlierer gibt. Daher darf der Führende dem Untergebenen nie das Gefühl vermitteln, er käme nicht gegen ihn an, er müsse immer klein beigeben. Keiner möchte gerne für immer Verlierer sein. Als Verlierer wird er sich entweder total aufgeben und nur noch das Nötigste tun oder aber er wird auf Rache sinnen, um das nächste Mal zu gewinnen. Da der Mitarbeiter gegenüber dem Verantwortlichen jedoch nicht öffentlich siegen kann, siegt er durch die Verweigerung und den inneren Rückzug. Er wird die Weisungen des Vorgesetzten ignorieren oder sabotieren. Er wird nur Dienst nach Vorschrift machen und so den Chef permanent ärgern und ihm ein Gefühl von Ohnmacht vermitteln. Der Chef kann ihn noch so oft kritisieren. Der Mitarbeiter wird nach außen hin immer versprechen, daß er sich bemühen werde, alle Aufträge zufriedenstellend auszuführen. Aber in seinem Unbewußten wird der Drang, sich zu verweigern, so stark, daß er auch in der äußeren Realität die Oberhand gewinnt. Oft zeigt sich der unbewußte Widerstand darin, daß der Mitarbeiter den Auftrag einfach vergißt oder liegen läßt. Den Chef warten zu lassen, ist die einzige Weise, ihm seine Aggression auf versteckte Weise zeigen zu können. Das ist ein beliebtes Machtspiel des »kleinen

Beamten«. Dort, wo er Macht hat, läßt er alle andern warten. Da zeigt dann die Buchhaltung ihre Macht den andern Abteilungen gegenüber, indem sie ihnen die Informationen verweigert oder sie länger warten läßt, als es notwendig wäre. Es gibt viele solcher Machtspiele, mit denen die Verlierer ihre Rache den scheinbar Mächtigen gegenüber ausspielen. Solche Machtspiele können das ganze Gefüge eines Betriebes durcheinander bringen und lähmen. Da die Verweigerung durch Machtspiele, Vergessen oder Wartenlassen aus dem Unbewußten kommt, kann der Chef sie auch nicht besiegen. So wird der Verlierer zugleich Gewinner. Der Chef fühlt sich ohnmächtig. Seine Versuche, durch Kritik und Kontrolle etwas zu verbessern, sind zum Scheitern verurteilt. Der Verlierer wird Sympathisanten um sich scharen, die wie er die Befehle von oben ins Leere laufen lassen. Die Traurigkeit, die in einem Verlierer wächst, pflanzt sich fort und wird allmählich die ganze Gemeinschaft infizieren und lähmen.

Der Grundsatz, daß der Cellerar die Brüder nicht kränken und verletzen dürfe, wäre heute auch in der Wirtschaft heilsam. Denn viele Arbeitnehmer werden krank, weil sie ständig gekränkt werden. Man hat heute längst erkannt, daß der Krankenstand eines Betriebes Ausdruck für das Betriebsklima ist. Wenn Mitarbeiter sich nicht ernst genommen fühlen, werden sie viel eher krank. Wenn sie entwertet und verletzt werden, drücken sich die seelischen Verletzungen auch körperlich aus. Wer Angst in der Firma verbreitet, wird vielleicht kurzfristig die Arbeitsleistung steigern. Aber auf Dauer erzeugt er eine Demotivierung und ein krankmachendes Klima, das die Leistung schmälert. Das Klima wird vergiftet und erzeugt auch bei den Mitarbeitern den Drang, die Verletzungen weiterzugeben. »Der steigende Giftpegel am Arbeitsplatz führt zu Ärger, Groll, Verrat und einem solchen Grad an Gereiztheit, daß die Menschen einander nur noch anfauchen … In einem Unternehmen, in dem das Klima vergiftet ist, wird die Seele zerstört.« (Secretan 112) Wenn der Chef die Mitarbeiter immer wieder kränkt, darf er sich nicht wundern, daß sich in seiner Firma bald »Mobbing« einschleichen wird. Wer gekränkt ist, kränkt andere. Wer Angst hat, gibt die Angst nach unten weiter. Wer ohnmächtig ist, versucht seine Ohnmacht dadurch zu kompensieren, daß er über andere Macht ausübt und sie aus der Firma herausekelt. Die Firma General Motors hat im Jahre 1995 mehr Geld für die medizinische Versorgung ausgegeben als für den Einkauf von Stahl. Die Medizinkosten verteuerten jedes Auto um 900 Dollar. Das ist die Folge einer Unternehmensstrategie, die vor allem die andern ausstechen möchte, die aber die eigenen Mitarbeiter krank werden läßt.

Nicht verachten

Der Cellerar darf seine Brüder nicht verachten (spernere = absondern, verachten, nicht mögen, Widerwillen zeigen). Wer einen andern verachtet, sondert ihn ab von der Gemeinschaft der Menschen. Er stürzt ihn in die Einsamkeit. Die Verachtung des andern ist oft genug Ausdruck dafür, daß ich etwas in mir selbst nicht annehmen kann und mich deshalb verachte. Aber weil ich es vor mir nicht zugeben kann, daß ich mich selbst nicht mag, zeige ich die Verachtung, die eigentlich mir selbst gilt, den Schwächeren gegenüber. Verachtung betrübt und demotiviert, sie schneidet die Beziehung untereinander ab und lähmt. Anstatt die Mitarbeiter zu verachten, soll der Chef sie lieben, sie annehmen in ihrer Eigenart und sie aufrichten und ermutigen. Das wird nicht nur ein besseres Betriebsklima erzeugen, sondern auch die Leistung steigern. In vielen Firmen wurde in den letzten Jahren die Parole ausgegeben, daß der Kunde König ist.

Jeden Kunden muß man freundlich behandeln. Das ist sicher gut. Aber wenn die Mitarbeiter sich selbst nicht freundlich behandelt fühlen, dann wird die Strategie der Freundlichkeit nach außen hin zu einem Bumerang für die eigenen Mitarbeiter. Wenn sie immer freundlich sein müssen, ohne daß sie selbst Wertschätzung und Verständnis erfahren, werden sie bald ihre Frustration und Unzufriedenheit entweder nach außen weitergeben, oder aber so verinnerlichen, daß sie physisch und psychisch krank werden. Sie werden in absehbarer Zeit ihre Arbeit hassen und sich anderswo nach Arbeit umsehen. Daher muß eine Firma zuerst dafür sorgen, daß die seelischen Bedürfnisse der eigenen Mitarbeiter erfüllt werden. Die Hotelkette Marriott verliert jedes Jahr 60% ihres Servicepersonals, weil sie zuviel von den Mitarbeitern verlangt. Eine Ersatzkraft zu suchen, kostet 1000 Dollar. So zeigt sich, daß die typisch mechanistische Strategie, die »die Menschen nur als Funktions- oder Produktionseinheiten betrachtet … und nicht als Seelen« (Secretan 126), nicht nur den Angestellten schadet, sondern letztlich sich auch negativ auf den Kundenservice auswirkt und dem Arbeitgeber erhebliche Kosten verursacht. Halt Rosenbluth, der eine der erfolgreichsten Reisebüroketten in den USA aufgebaut hat, schreibt daher: »Unsere Mitarbeiter sind diejenigen, die den Kunden bedienen. Und am besten bedienen sie ihn, wenn sie mit ganzem Herzen dabei sind. Folglich wird das Unternehmen, das die Herzen seiner Mitarbeiter erreicht, auch den besten Service bieten.« (Ebd 127)

3. Leitung als Dienst

Benedikt hat das Cellerarskapitel nicht ganz systematisch aufgebaut. Nach der kurzen Beschreibung, wie der Cellerar seine Aufgabe ausführen soll, fährt Benedikt fort:

»Er gebe acht auf seine Seele und denke stets an das Apostelwort: Wer seinen Dienst gut versieht, erlangt einen hohen Rang. Für Kranke, Kinder, Gäste und Arme sei er unermüdlich besorgt; er wisse sicher, daß er am Tag des Gerichts für sie alle Rechenschaft ablegen muß.« (RB 31,8f)

Auf die eigene Seele achten

Die Forderung, daß der Cellerar auf seine Seele acht geben muß (custodiat), steht in Parallele zur Ermahnung, er soll auf das achten, was der Abt ihm befiehlt (Vers 5). Das lateinische Wort »custodire« meint »achtgeben, wachen, bewußt wahrnehmen«. Der Cellerar soll also in Beziehung sein zu seiner Seele. Er soll bei seiner Führungsaufgabe nicht nur auf die Befehle und auf die äußeren Dinge achten, sondern vor allem auf seine Seele. Seele meint den inneren Bereich. In der Seele erklingen die leisen Stimmen, die uns sagen, was eigentlich für uns stimmt. In der Seele sind wir in Berührung mit Gott und mit unserem eigentlichen Selbst. Auf die eigene Seele achten meint also, bei seiner Leitungsaufgabe nicht in äußeren Entscheidungen und Aktionen aufzugehen, sondern immer in Berührung mit sich selbst zu sein. Dazu bedarf es der Stille, um die leisen Stimmen in unserer Seele vernehmen zu können. Die tägliche Meditation ist daher für den Cellerar kein Luxus, sondern gerade Voraussetzung, daß er seine Aufgabe gut zu erfüllen vermag. Der Cellerar soll bei sich sein und aus der »inneren Mitte« heraus handeln. Er kann nur dann wirklich in Beziehung zu den Menschen und zu den Dingen treten, wenn er zuerst in Beziehung zu sich selbst ist, zu dem, was in seinem Innern vor sich geht. Und die Beziehung zu sich selbst, zu seiner Seele, ist zugleich Beziehung zu Gott. Der amerikanische Unternehmensberater Lance H. K. Secretan spricht von »Soul-Management«, von »Seelen-Management«. Er meint damit einen Führungsstil, der die seelischen Aspekte auf allen Entscheidungsebenen mit einbezieht. Wer auf die eigene Seele achtet, kann auch die Seele seiner Mitarbeiter beflügeln. Er kommt mit ihren tiefsten Sehnsüchten in Berührung und kann sie so weit mehr zu einer soliden Arbeit motivieren als durch die Verheißung eines höheren Lohnes. Das Achten auf die eigene Seele ist daher nicht überholt, sondern im Gegenteil die Voraussetzung einer Führung, die die Menschen nicht nur finanziell, sondern auch seelisch belohnt. Secretan schreibt: »Wir wollen Führungskräfte, die unsere Unternehmen erneuern und ein berufliches Umfeld schaffen, in dem die Seele aufblühen kann.« (Secretan 44 f)

Achtgeben heißt aber auch, für seine Seele sorgen, für sich selbst sorgen. Bei seiner Aufgabe darf der Cellerar sich selbst nicht vergessen, seine Bedürfnisse und Wünsche, seine Leidenschaften und Emotionen. Er muß spüren, was seine Aufgabe mit ihm selbst macht, ob er bei seinem Tun im Einklang ist mit seiner Seele, mit den leisen Impulsen, die er in seinem Innern hört. Gefährlich ist immer das unbewußte Handeln. Wer mit seinen Bedürfnissen nicht in Berührung ist, wird sie auf die andern projizieren. Was in seinem Tun unbewußt bleibt, das wird sich verheerend auf die Menschen um ihn herum auswirken. Oft wissen wir nicht, warum ein Mensch so unangenehm auf andere wirkt. Häufig geht von ihm gerade das aus, was er verdrängt hat. Wer mit sich selbst in Beziehung steht, wer auf seine Seele achtet, der kommt auch schnell in Beziehung zu den Menschen. Wer aber für sich selbst nicht sorgt, wer sich nur von den äußeren Aufgaben bestimmen läßt, der merkt gar nicht, wie all die unterdrückten Bedürfnisse auf ihn zurückschlagen. Er wird sich verausgaben und gar nicht spüren, wie er immer aggressiver und empfindlicher wird. Nur wer gut auf sich selbst acht gibt und für sich sorgt, wird auch gut für die andern sorgen können und darauf achten, was den andern und was der Gemeinschaft insgesamt gut tut. Andernfalls wird er bald ausgebrannt sein und seine Unlust durch ironische und zynische Bemerkungen auf die Mitarbeiter ausbreiten. Ich bin daher immer skeptisch, wenn jemand zu hohe Ideale für seine Aufgabe anführt, wenn er z. B. sagt, er würde sich ganz und gar für die Firma aufopfern, oder er würde die Verwaltung aus reinem Gehorsam dem Abt gegenüber leisten. Wenn einer sich ganz für die Firma aufopfert und selbst dabei zu kurz kommt, wird er innerlich hart werden und die Härte seine Mitarbeiter spüren lassen. Ich selbst habe mir die Aufgabe des Cellerars nicht ausgesucht. Es war durchaus Gehorsam. Aber ich weiß genau, daß ich aus reinem Gehorsam kein guter Cellerar wäre, wenn ich dabei meine innerste Überzeugung verdrängen müßte. Es ist meine Verantwortung, daß mir diese Aufgabe auch Spaß macht. Natürlich heißt das nicht, daß ich nur nach dem Lustprinzip handle, daß mir alles Spaß machen muß. Jede verantwortliche Aufgabe bringt auch genügend Probleme mit sich. Aber wenn ich mich diesen Problemen stelle und sie löse, tut es mir auch selbst gut. Wenn ich zu einer Arbeit ja sage, dann muß ich auch dafür sorgen, daß es meiner Seele damit gut geht. Ich bin dann

47

selbst dafür verantwortlich, daß ich die Arbeit so erfülle, daß sie für mich stimmt und mir selbst einen seelischen Gewinn bringt.

Der spirituelle Weg der Hingabe

Dann zitiert Benedikt ein Wort aus dem 1. Timotheusbrief. Dort heißt es: »Denn wer seinen Dienst gut versieht, erlangt einen hohen Rang und große Zuversicht im Glauben an Christus Jesus.« (1 Tim 3,13) Das Wort ist an die Diakone gerichtet. Der hohe Rang, den ein Diakon erlangt, wenn er seinen Dienst gut versieht, kann sich auf seine Stellung in der Gemeinde beziehen. Er kann jedoch auch einen inneren Grad meinen, einen Reifegrad oder den Grad der Gotteserkenntnis. In der Gnosis wurde das Wort »bathmos = Grad« in diesem Sinne verwendet. Benedikt zitiert nur die erste Hälfte des Verses. Er meint offensichtlich, daß der, der seine Führungsaufgabe gut versieht, innerlich wächst und auch Gott näher kommt. Richtig zu führen ist daher ein spiritueller Weg und nicht nur eine reine Methode. Und auf diesem Weg kommen wir genauso zu Gott wie auf dem Weg des Gebetes. Mir scheint es heute eine entscheidende Aufgabe zu sein, die spirituelle Dimension der Führung neu in den Blick zu bekommen. Viele Manager haben inzwischen erkannt, daß sie nicht nur Wege der Entspannung und Meditation gehen müssen, um besser führen zu können, sondern daß echte Führung in sich schon eine spirituelle Aufgabe ist. Secretan nennt diese spirituelle Dimension der Führung »Hingabe«. Er versteht darunter, »den Bedürfnissen anderer mit Respekt zu begegnen und eine Leidenschaft dafür zu entwickeln, sie zu befriedigen« (Secretan 72). Hingabe hat mit Liebe zu tun. Führen verlangt letztlich, daß der Verantwortliche seine Mitarbeiter liebt und daß es ihm ein Anliegen ist, wenn es ihnen gut geht und sie gerne arbeiten und sich in der Arbeit entfalten können. Weil wir in der Kirche zu lange passive Tugenden wie Gehorsam und Geduld in den Vordergrund gestellt haben, haben wir übersehen, daß Führen selbst eine spirituelle Aufgabe ist. Indem ich andere führe, werde ich spirituell genauso herausgefordert wie im Gebet und in der Meditation. Ich werde vor die Frage gestellt, ob ich mich ganz und gar auf die Menschen und damit letztlich auf Gott einlasse, ob ich mich von Gott in Dienst nehmen lasse und bereit bin, mich für Menschen und für die Sache einzusetzen, »hinzugeben«. Und ich werde so radikal mit meinen eigenen Emotionen und verdrängten Bedürfnissen konfrontiert, daß ich meiner eigenen Wahrheit nicht ausweichen kann. Da nur die Wahrheit frei macht, werde ich durch meine Führungsaufgabe frei von den Illusionen und vom Verhaftetsein an das eigene Ego. Das treibt mich mehr und mehr in Gott hinein als den eigentlichen Grund, auf den ich bauen kann.

Dem Leben dienen

In dem Zitat aus 1 Tim 3,13 wird deutlich, daß Benedikt die wirtschaftliche Leitung als Dienst versteht. Das griechische Wort »diakonein« meint den Tischdienst. Wer bei Tisch aufwartet, der dient dem Leben. Ein guter Tischdiener gönnt dem Essenden den Genuß. Er dient ihm, damit er voll Freude genießen und darin Lebendigkeit erfahren kann. Führen heißt vor allem, Leben in den Menschen wecken, Leben aus ihnen hervorlocken. Benedikts Wort von der Leitungsaufgabe als Dienst gründet in dem Satz Jesu beim letzten Abendmahl. Da antwortet Jesus auf den Streit der Jünger, wer wohl unter ihnen der Größte sei: »Die Könige herrschen über ihre Völker, und die Mächtigen lassen sich Wohltäter nennen. Bei euch aber soll es nicht so sein, sondern der Größte unter euch soll werden wie der Kleinste, und der Führende soll werden wie der Dienende.« (Lk 22,25f) Hier wird deutlich, wie Jesus die Führungsaufgabe (hegoumenos) versteht und sie von einem weitverbreiteten Mißverständnis abgrenzt. Führung heißt für die Könige der Völker, daß sie über andere herrschen, daß sie andere klein machen. Manche Vorgesetzte müssen andere klein machen, um an die eigene Größe glauben zu können. Sie mißbrauchen ihre Macht, um sich vor andern groß aufzuspielen. Im Griechischen steht hier: »kyrieuousin«, sie spielen sich als Herren auf. Sie sagen zum Untergebenen: »Ich bin der Herr, du bist der Sklave. Ich bin alles, du bist nichts. Ich habe die Macht über dich. Du hast nur zu tun, was ich dir sage.« Es gibt auch heute noch genügend Vorgesetzte, die sich über andere als Herren aufspielen, weil sie zu wenig Selbstwertgefühl haben. Sie müssen andere entwerten, um sich selbst aufzuwerten. Die Mächtigen, so sagt Jesus, lassen sich Wohltäter nennen. Sie benutzen ihre Macht dazu, ihr Prestige und Image zu pflegen. Sie dienen mit ihrer Führung nicht den Menschen, sondern sich selbst. Für Jesus aber heißt Führen DIENEN. Das griechische Wort für Führen »hegeomai« heißt: vorangehen, führen, leiten. Wer andere führt, geht ihnen voran. Er geht den gleichen Weg wie sie. Er befiehlt nicht von oben herab, sondern geht denen voraus, die er mit sich ziehen möchte. Er tut selber das, was er von den Untergebenen erwartet. Wer so führt, der dient den Menschen. Jesus benutzt hier das gleiche Wort wie der Timotheusbrief: »diakonein«. Wer wahrhaft führen will, der soll dem Leben dienen und Leben in den Menschen hervorlocken. Anstatt auf einen Mitarbeiter, der unzufrieden ist und den andern auf die Nerven geht, sofort mit Sanktionen zu reagieren, wäre es viel besser, sich erst in ihn hinein zu meditieren und sich zu überlegen, wonach er sich im Tiefsten sehnt.

Warum ist er so unzufrieden? Worunter leidet er? Wonach sehnt er sich? Was täte ihm gut? Wenn ich seine Sehnsucht und seine Träume verstärke, wecke ich mehr Leben in ihm, als wenn ich nur auf seine Fehler reagiere. Führen ist etwas Aktives. Führen lockt im einzelnen das Leben hervor, das in ihm schlummert. Es motiviert den Mitarbeiter, die Gaben, die Gott ihm geschenkt hat, zu entfalten. Führen ist die Kunst, den Schlüssel zu finden, der die Schatztruhe des Mitarbeiters aufschließt und ihm das Gefühl vermittelt, daß in ihm viele Möglichkeiten und Fähigkeiten stecken. Führen heißt, die Lust zu wecken an der Entfaltung der eigenen Fähigkeiten und am Dienst für die Gemeinschaft.

Daß Führen und Dienen zusammen gehören, haben heute viele Unternehmensberater von neuem erkannt. Dr. Hanns Noppeney zitiert den Chef der Firma Bosch, Hans L. Merkle, der schon 1979 in einem Vortrag die Ansicht vertreten hat, »daß Dienen und Führen keine Gegensätze seien, sondern daß Führungseignung aus der Bereitschaft zum Dienen hervorgehe. Führen sei also eine besondere Kategorie des Dienens« (Noppeney 15 f). Dem Unternehmen und den Mitarbeitern zu dienen, heißt natürlich nicht, sich von ihnen ausnutzen zu lassen, sondern bereit sein, die Verantwortung für sie zu übernehmen und den Kopf hinzuhalten, wenn es Probleme gibt. Aber zugleich muß der Dienende sich gut abgrenzen können, um in seinem Dienst nicht »aufgefressen« zu werden. Daher rät Benedikt dem Cellerar, er sei für seine eigene Seele besorgt.

Die Presse erwartet heute vor allem bei Firmen, die in Turbulenzen geraten sind, einen »Macher«, der die Firma in kurzer Zeit wieder in den Griff bekommt und sie saniert. Aber die kurzfristigen Erfolge gehen oft zu Lasten der Menschen. Ein Leiter, der den Menschen dient, wird auf Dauer auch für die Firma zum Segen werden. Die Unruhe, mit der die typischen »Macher« aufwendig angelegte Entwicklungsmaßnahmen durchführen und sich selbst damit beweisen, führt nicht wirklich zum Erfolg. Die meisten kostenträchtigen Veränderungskonzepte scheitern. Einer Statistik zufolge gehen 70–80% aller Veränderungsprozesse schief oder verlaufen im Sand (vgl. Noppeney 2). Natürlich muß sich jede Firma immer wieder wandeln, sonst bleibt sie stehen. Aber wenn die Veränderungskonzepte um ihrer selbst willen durchgesetzt werden, ohne Rücksicht auf die wirklichen Bedürfnisse der Mitarbeiter, oder wenn sich die Führungsspitze mit den Umstrukturierungen selbst beweisen möchte, dann gehen sie ins Leere. Ein Konzept hat immer dem Menschen zu dienen und nie der eigenen Selbstdarstellung. Wenn der typische Sanierer an den Menschen vorbei sein theoretisches Konzept durchsetzen will, führt er nicht wirklich, sondern er benutzt die Belegschaft nur, um sich selbst darzustellen. Oder er benutzt das Konzept, um sich vor der Umwelt als fähigen »Macher« zu beweisen. Solch egozentrische Führungsmethoden dienen nicht den Menschen, sondern nur dem eigenen Image. Die Folge ist der Widerstand der Belegschaft, die hinter vorgehaltener Hand von einer »Rettung vor dem Retter« spricht (vgl. ebd 3). Gegenüber dem darwinistischen Prinzip, daß der Stärkere als der Bessere gilt, stellt daher Noppeney die kritische Frage, »ob nicht der zum Dienen Bereite letztlich der bessere Vorgesetzte ist und langfristig die besseren Resultate erwirtschaftet« (Ebd 18).

Kreativität wecken

Führen ist eine kreative Aufgabe. Sie verfolgt das Ziel, die Kreativität in den Mitarbeitern zu wecken. Secretan spricht davon, daß der Verantwortliche die Seele seiner Mitarbeiter beflügeln soll. Das ist ein anderes Bild für »Leben hervorlocken« in den Menschen. Führen ist mehr als auf die Fehler der Mitarbeiter reagieren. Führen ist etwas Aktives. Es verlangt Phantasie, ein Gespür für das, was im andern zum Leben kommen möchte. Eine Weise, Leben zu wecken, besteht darin, den Mitarbeitern den Sinn ihres Tuns zu vermitteln. Wenn jemand nur am technischen Produkt »Herzschrittmacher« beteiligt ist, wird er nicht sehr motiviert sein. Wenn er sich aber bewußt wird, daß er damit viele Menschen vor dem sicheren Tod bewahrt, dann wird ihn das beflügeln, sorgfältig und gerne daran zu arbeiten. Der Vorgesetzte ist jemand, der über die alltägliche Dimension der Arbeit hinausschaut, den Mitarbeitern die Sinnhaftigkeit ihres Tuns immer wieder bewußt macht und sie an seiner Vision teilhaben läßt. Damit weckt er neue Fähigkeiten, neue Energie, neue Phantasie, wie die Mitarbeiter neue Lösungen finden können, um den Menschen noch besser zu dienen. Kreativität ist für mich die zentralste Eigenschaft, die heute von einer Führungskraft gefordert wird. Wer nicht persönlich kreativ ist, muß zumindest für ein Kreativitätsklima sorgen, in dem die Strukturen der Firma hinterfragt und innovative Strategien entfaltet werden können (vgl. Noppeney 20). Kreativität ist für mich das wichtigste Kennzeichen von Spiritualität. Kreativ zu führen, Phantasie zu entwickeln, ist daher für mich Ausdruck der spirituellen Dimension von Führung. Und um diese spirituelle Dimension des Führens geht es dem hl. Benedikt. Der Cellerar muß in Berührung sein mit seiner Seele, mit der Quelle des Hl. Geistes, die in ihm sprudelt und aus der heraus er neue Ideen schöpft. Kreativität und Phantasie kann man auch ein Stück weit lernen. Daher ist es für mich wichtig, daß die Führenden immer wieder bereit sind, mit anderen gemeinsam in die Schule des Führens zu gehen, um sich gegenseitig zu befruchten. Leider wird gerade in Klöstern von Obern und Oberinnen die Gelegenheit zur Weiterbildung wenig genutzt. Und doch können wir heute eine Gemeinschaft weder spirituell noch wirtschaftlich noch gruppendynamisch so führen wie vor 30 Jahren. Es braucht immer wieder neue Anregungen, um der Gemeinschaft mit ihren inneren Verflechtungen gerecht zu werden.

Heilen

Im Cellerarskapitel fährt Benedikt fort, daß der Cellerar seinen Dienst vor allem auf die ausdehnen sollte, die krank und arm sind, auf die Kinder und auf die Gäste. Kinder und Gäste (hospites) stehen für die Wehrlosen und Rechtlosen. Führen heißt für Benedikt, kranke Menschen heilen, ihnen helfen, mit ihrer Krankheit leben zu können. Wer in seiner Leitungsaufgabe den Mitarbeitern ständig beweisen will, daß sie neurotisch sind, daß sie diese und jene Komplexe und Defizite haben, der erniedrigt und entmutigt sie. Führen heißt, in den Kranken Leben wecken, indem ich für sie sorge, indem ich mir überlege, was ihnen gut tut. Benedikt schärft dem Cellerar ein, daß er für die Kranken und Armen »unermüdlich besorgt = cum omni sollicitudine curam gerat« sei. In dem Wort »sollicitudine« steckt »sollus«, das »ganz, völlig« bedeutet. Es ist letztlich eine Verdoppelung, die Benedikt hier bringt, um dem Cellerar deutlich zu machen, daß er sein ganzes Herz darauf verwenden sollte, für die Kranken und Armen zu sorgen. Er soll in seinem Herzen erwägen, was der Kranke oder Arme braucht, damit er wirklich leben kann. Hier ist sicher nicht nur der körperlich Kranke gemeint, für den der Cellerar einen guten Krankendienst aufbauen soll, und nicht nur der wirtschaftlich Arme, dem der Cellerar Almosen zu geben hat. Vielmehr ist hier die Frage angesprochen, wie der Leitende mit kranken Mitarbeitern umgeht, wie er sie fördert und so zu ihrer Heilung beiträgt. In jeder Firma gibt es kranke und schwache Menschen. Es ist für Benedikt zu wenig, daß sie nur geduldet werden, daß man sie mehr oder weniger als »Sozialfälle« mitträgt. Der Cellerar muß sich mit seiner ganzen Aufmerksamkeit und seinem ganzen Herzen gerade den kranken Mitarbeitern zuwenden, damit auch sie menschlich leben und ihrem Maß entsprechend gerne arbeiten können. Dem Kranken die passende Arbeit zuzuweisen, ist eine höchst effiziente Therapie. Sie geht nicht über die Analyse der Vergangenheit, sondern sie setzt dem Kranken ein Ziel, das er erreichen kann. Wenn der Kranke mit aller Kraft das ihm gesetzte Ziel verfolgt, dann heilen seine Wunden eher, als wenn er ständig von neuem daran leckt.

Zeichen der Zeit erkennen

Sorge um die Kranken und Armen heißt für uns heute auch, die Frage der sozialen Verantwortung jeder Leitungsaufgabe zu bedenken. Heute sind die Armen nicht nur die mittellosen Afrikaner, für die ein Kloster oder eine Firma spenden soll. Es geht auch um die Frage, wie ein Unternehmen heute dazu beitragen kann, Arbeitslosen Arbeit zu verschaffen. Auch hier braucht es Phantasie, um Menschen einen Arbeitsplatz zur Verfügung zu stellen. Wer phantasievoll und kreativ wirtschaftet, wird immer auch andern Menschen helfen, daß sie an seinen Ideen partizipieren. Der Mut zum Wagnis und die Phantasie schaffen Arbeitsplätze. Wenn ein Betrieb seine Produktionsstätte nur ins Ausland verlegt, weil er dort billigere Arbeitsplätze vorfindet, so ist das eher phantasielos. Über kurz oder lang werden dort die Löhne auch steigen. Dann muß man die Produktion wieder verlagern. Heute scheint der einzige Weg zur Sanierung eines Betriebes zu sein, die Arbeitsplätze abzubauen. Doch dadurch entsteht ein Teufelskreis, der sich verheerend auf die Gesellschaft auswirkt. Es käme darauf an, die Ressourcen, die am Ort sind, sinnvoll zu nützen, die Fähigkeiten zu wecken, die in den einzelnen stecken, und neue Wege zu beschreiten, um das eigene Potential richtig einzusetzen und damit Geld zu verdienen. Die heute so weit verbreitete Arbeitslosigkeit braucht andere Lösungen, als die meisten Firmen sie praktizieren. Statt über die Zeitverhältnisse zu jammern, wäre es sinnvoller, Phantasie zu entwickeln, Produkte anzubieten, die die Bedürfnisse der heutigen Zeit befriedigen können. Viele Unternehmensleiter schieben die Schuld an der Arbeitslosigkeit häufig der Rezession oder den Strukturen der heutigen Arbeitswelt zu. Sie möchten damit nur davon ablenken, daß sie selbst bedeutungslos geworden sind, unfähig, Beschäftigte und Kunden anzulocken und sie zu begeistern. Secretan hat im Gespräch mit Führungskräften erkannt, »daß Rezession lediglich als Ausrede dient, um Irrelevanz zu rechtfertigen« (Secretan 265). In jeder Rezession gibt es auch Unternehmen, die »boomen«. Sie haben offensichtlich die Zeichen der Zeit erkannt und entdeckt, welche Bedürfnisse die Menschen heute wirklich haben. Unternehmen, die sich für ihre Krise auf die Rezession berufen, »inspirieren Beschäftigte und Zulieferer nicht länger und vermögen auch keine Kunden mehr anzulocken, geschweige denn zu begeistern. Sie bieten Produkte und Dienstleistungen an, die an den Bedürfnissen ihrer Kunden vorbeigehen.« (Ebd 266) Jedes Unternehmen muß sich immer wieder von neuem fragen, ob es am Puls der Zeit ist, ob es den Bedürfnissen der Menschen gerecht wird und ob es die Ressourcen der eigenen Mitarbeiter genügend ausschöpft.

Verantwortung übertragen

In den Klöstern höre ich oft die Klage, daß man mit Arbeit über-
lastet sei. Wenn ich das höre, habe ich meistens kein Mitleid.
Denn es ist für mich Ausdruck der Phantasielosigkeit. Man ist
nicht bereit, die Arbeit anders und neu zu organisieren. Oft
wird die Arbeitsüberlastung damit begründet, daß die Gemeinschaft immer kleiner wird und die Arbeit daher auf immer
weniger Schultern verteilt werden muß. Aber man ist vor allem
in kontemplativen Klöstern nicht bereit, Angestellten manche
wichtigen Aufgaben zu übertragen. Für mich ist es eine Ideologie, zu meinen, alle Arbeiten selbst erledigen zu müssen. Das
Kloster hat auch eine soziale Verantwortung. Viele Menschen
würden sich freuen, wenn sie im Kloster Arbeit fänden. Und
manche Schwestern und Brüder könnten ihre Fähigkeiten in anderen Bereichen eher entfalten, als sich mühsam um die Küche
zu mühen, die einem widerstrebt. Da werden Schwestern immer
nur »klein gehalten«, anstatt sie herauszufordern, indem man
ihnen Verantwortung überträgt. Da muß eine Schwester mit
45 Jahren immer noch eine ältere Schwester fragen, was sie tun
soll, anstatt selbst entscheiden zu können, wie sie ihren Arbeits-
bereich gestaltet. Auf diese Weise wird die eigene Kreativität unterdrückt und die Motivation sinkt. Wenn ich die Fähigkeiten
der einzelnen entfalte, wenn ich ihre Seele beflügle, anstatt sie
mit Arbeit zu erdrücken, dann wird sich das auch finanziell auf
Dauer für das Kloster positiv auswirken. Wenn die Schwestern
ihre wirklichen Stärken einbringen dürfen, werden sie für das
Kloster mehr Geld verdienen, als wenn sie mit den üblichen
Putzarbeiten zugedeckt werden. Es liegt immer an der Führung.
Die Verantwortlichen brauchen einen Blick für die Stärken der
eigenen Klostermitglieder. Sie müssen den Gesamtbetrieb gut
überschauen und nach Alternativen Ausschau halten, wie sie die

wirtschaftliche Grundlage des Klosters verbessern können. Und sie sollen die Angestellten gut führen, sonst wird das Kloster bald von ihnen als »Melkkuh« ausgenutzt.

Verantwortung für die Gesellschaft

Die Sorge für die Armen zielt auch auf die Frage der gerechten Güterverteilung. Benedikt huldigt keinem romantischen Armutsideal. Er spricht überhaupt nicht von Armut, sondern von Einfachheit und Sparsamkeit und von der Sorge für die Armen. Ein Kloster hat heute keine Patentrezepte parat, wie die Güter dieser Welt gerecht verteilt werden können. Aber indem es teilhat an der heutigen Arbeitswelt und auch Anteil nimmt an den Gütern dieser Welt, muß es sich Gedanken machen, wie es auf die wirtschaftlichen Zusammenhänge dieser Welt antworten will. Nur naiv mitmachen ist sicherlich zu wenig. Nur als Moralapostel aufzutreten und alles besser zu wissen, führt auch nicht weiter. Leitung verlangt heute, über den engen Tellerrand des eigenen Betriebs hinauszusehen. Es genügt nicht, andere Firmen auszustechen. Denn was zum Nachteil der andern ist, wird auch der eigenen Firma auf Dauer nicht zum Vorteil gereichen. Der Unternehmer hat heute eine soziale Verantwortung für das Ganze der Gesellschaft, ja für die ganze Welt. Er kann sich nicht aus der Verantwortung herausstehlen mit dem Hinweis, daß er schon genug habe, für seine eigenen Angestellten zu sorgen. Leider denken manche Unternehmen in kriegerischen Kategorien. Sie entwerfen eine Strategie, wie sie andere Unternehmen vom Markt verdrängen und wie sie als Sieger über die Konkurrenz hervorgehen können. Aber wenn ich alle Konkurrenten ausschalte, werde ich bald keine Kunden mehr haben. Auf Kosten anderer zu gewinnen, hilft auf Dauer nicht weiter. Die Kunst würde darin bestehen, so zu gewinnen, daß alle etwas davon haben. Secretan, der selbst eine Firma mit 100 Millionen Dollar Umsatz aufgebaut hat, hat das zerstörerische Potential des Konkurrenzdenkens beschrieben: »Konkurrenz erzeugt Streß, schwächt die körperliche und geistige Gesundheit, untergräbt das Selbstwertgefühl, demotiviert Menschen, vergiftet die Atmosphäre im Unternehmen, zerstört persönliche Beziehungen und ist ein denkbar ineffektiver Weg, Teams aufzubauen. Die Energie wird an einem negativen Punkt gebündelt, wo es darum geht, einen Widersacher auszuschalten, statt dieselbe Energie in positiver Weise dafür einzusetzen, die Bedürfnisse der Mitarbeiter, Zulieferer und Kunden zu befriedigen und dadurch höhere Werte für sie zu schaffen.« (Secretan 204) Und er meint, die Aufgabe eines Unternehmers wäre, die Liebe in unserer Seele zu wecken, anstatt feindliche Gefühle, die den andern zermürben und zerstören. Ein Unternehmen hat daher eine Verantwortung für die gesamte Gesellschaft. Die ethischen Werte, die in einem Unternehmen befolgt werden, haben Auswirkungen auf die Gesellschaft. Wenn ein Unternehmen in kriegerischen Kategorien denkt, wird es das aggressive Potential um sich herum mehren und zu einem kalten und feindlichen Klima beitragen. Wenn eine Firma aber sowohl für die Angestellten als auch für die Kunden und Zulieferer sorgt, wird das positive Auswirkungen auf die ganze Umgebung haben. Führen heißt, Verantwortung für diese Gesellschaft zu übernehmen. Und nur einer, der bereit ist, seine Verantwortung auszuweiten für die Welt als ganze, verdient heute, mit einer Leitungsaufgabe betraut zu werden.

Benedikt empfiehlt dem Cellerar auch die Sorge für die Kinder. Damals wurden Kinder ins Kloster gebracht, damit sie dort erzogen würden. Für sie soll nicht die Strenge der Regel gelten. Vielmehr sollen die Mönche auf ihre Schwäche Rücksicht nehmen. Dem Cellerar obliegt die Sorge gerade auch für die Kinder. Man könnte auch sagen, Leitung sei auch ein Stück Erziehungsaufgabe. In unseren Firmen arbeiten ja auch viele »Kinder«, die auf einer infantilen Entwicklungsstufe stehen geblieben sind. Führen heißt, in den infantilen Menschen Leben wecken, ihnen zu ermöglichen, daß sie an ihrer Aufgabe reifen, daß sie erwachsen werden und bereit sind, Verantwortung zu übernehmen. Es hat keinen Zweck, darüber zu jammern, daß man infantile Mitarbeiter hat. Es liegt auch an der Führung, wie sich die Mitarbeiter verhalten. Der Leiter ist dafür verantwortlich, daß Mitarbeiter wachsen und sich entwickeln können. Sie müssen nicht schon alles können. Entscheidend ist, daß ich ihnen Lust daran vermittle, zu wachsen und zu reifen.

Es gilt nicht nur, daß jede Leitung auch Erziehungsaufgabe ist, sondern ebenfalls umgekehrt: Jede Erziehung ist auch Menschenführung. Jede Mutter und jeder Vater hat letztlich eine Leitungsfunktion. Was Benedikt vom Cellerar schreibt, gilt daher für jeden, der Kinder erzieht. Erziehen heißt eigentlich »herausführen«, so wie es auch das lateinische Wort »educare« beschreibt. Der Erzieher zieht das Kind heraus aus Unmündigkeit und Unbewußtheit und er führt es hinein in das einmalige und einzigartige Bild, das Gott sich gerade von diesem Kind gemacht hat. Das Wort »Bildung« kommt ja von Bild. Es meint, daß jeder mehr und mehr sein urpersönliches und unverwechselbares Bild entdeckt und sich dieses Bild einbildet. Der Erzieher hat die Aufgabe, die Kinder und Jugendlichen in ihrer Entwicklung

zu fördern, sie herauszufordern, daß ihr Wachstumsprozeß nicht
stehen bleibt oder in die falsche Richtung geht, und in ihnen das
Leben hervorzulocken, das Gott ihnen zugedacht hat. Benedikt
verlangt vom Cellerar, daß er für die Kinder mit aller Sorgfalt
sorge, daß er behutsam mit ihnen umgehe, daß er darauf achte,
was sie wirklich brauchen und was ihnen gut tut. Nur so können die Kinder in die Form hineinwachsen, die ihrem innersten
Bild entspricht. Es gibt einen schönen Text aus der Lebens-
beschreibung des hl. Anselm, die sein Schüler Edmar verfaßt
hat. Darin ermahnt der hl. Anselm einen Abt, er solle die Kinder
doch nicht mit Drohungen und Schlägen einengen, sondern mit
Liebe, Güte, Wohlwollen und Zärtlichkeit umgeben. Denn sonst
würde in ihnen nur Haß und Mißgunst gesät. Und er bringt das
Bild des Künstlers, der aus dem Gold eine schöne Figur formt:
»Habt ihr je geseh'n, daß ein Künstler aus einer Barre Gold oder
Silber nur durch Stöße ein schönes Bild formt? Schwerlich. Um
die Barre recht zu formen, drückt und stößt er sie bald vorsich-
tig mit seinem Werkzeug, bald glättet und poliert er mit sachtem
Nachgeben. Wenn ihr eure Knaben zu löblichen Sitten heran
bilden wollt, dann müßt ihr ebenso mit dem Druck der Züch-
tigung ihnen die hilfreiche Linderung väterlicher Milde und
Freundlichkeit darbringen.« (Grün 9) Jeder, der Kinder und
Jugendliche erzieht, hat letztlich eine Führungsaufgabe. Sein
Führen wird wesentlich darin bestehen, Leben in den Kindern
hervorzulocken und ihnen Lust zu vermitteln, in das einmalige
Bild Gottes hineinzuwachsen, das Gott schon in sie hineinge-
legt hat.

Gastfreundschaft

Die Gäste, für die der Cellerar sorgen soll, standen damals wie heute für die Rechtlosen. Es sind also nicht die Honoratioren gemeint, die sich in Klöstern verwöhnen lassen, sondern die Gäste, die auch zur Last fallen können, die Gäste, die Hilfe brauchen, kranke Menschen, die nach Zuwendung dürsten, und Menschen, die Fragen stellen und mit ihren bohrenden Fragen vielleicht unbequem sind. Es sind heute auch die Asylanten und Ausländer gemeint, die niemand haben möchte. Ein Kloster sollte auch für solche Menschen offen sein. Gastfreundschaft ist für Benedikt ein hohes Gut. Der Cellerar muß sich immer wieder überlegen, wie diese Gastfreundschaft heute aussehen könnte, damit sie im Sinne Benedikts verwirklicht wird, daß wirklich die recht- und heimatlosen, die entwurzelten und am Rand stehenden Menschen eine Heimat finden, einen Ort, an dem sie sein dürfen, wie sie sind, an dem sie als Menschen geachtet und geehrt werden. Was für das Kloster gilt, wäre auch eine lohnende Aufgabe für jede Firma. Jede Firma sollte heute Gastfreundschaft üben. Wenn eine Firma ausländische Mitarbeiter integriert, wenn sie deren Würde achtet, dann gibt sie ihnen ein Stück Heimat, dann übt sie Gastfreundschaft. Und diese Gastfreundschaft wird über die Firma hinaus Auswirkungen haben auf das Klima der Umgebung. In der Nähe einer solchen Firma werden sich Ausländer nicht mehr als Fremde fühlen, sondern angenommen und aufgenommen.

Verantwortlich vor Gott

Führen besteht für Benedikt vor allem darin, Verantwortung für Menschen zu übernehmen, ihnen zu dienen, in ihnen Leben zu wecken. Benedikt weist den Cellerar auf die Rechenschaft hin, die er am Tag des Gerichts für all diese Menschen ablegen muß. Der Cellerar soll sich also seiner Verantwortung bewußt sein, die er gerade für kranke und rechtlose Menschen übernommen hat. Es geht nicht nur darum, daß er seine Aufgabe gut erfüllt und mit seinem Führungstalent gut vor den Menschen dasteht, sondern daß er vor Gott eine Aufgabe zu erfüllen hat. Und das Entscheidende ist, daß er vor Gott gut dasteht. Er ist vor Gott dafür verantwortlich, wie er mit den Menschen umgegangen ist, ob er ihnen gedient und in ihnen Leben geweckt oder aber ob er sie betrübt und gelähmt und letztlich in den Tod getrieben hat. Heute jammern viele Unternehmer, wie schwierig die Mitarbeiter sind und welche Last es oft sei, sie zu führen. Herr Schürmeyer hat uns in seinem Training immer wieder vermittelt, daß solches Jammern nur Eingeständnis von Führungslosigkeit sei. Denn wenn es keine Probleme gäbe, bräuchte es ja keinen Verantwortlichen. Der Vorgesetzte hat ja gerade die Aufgabe, sich den Problemen zu stellen und sie zu lösen. Benedikt erlaubt weder dem Abt noch dem Cellerar, nur zu jammern, wie schwierig die Gemeinschaft sei. Er erinnert sie an ihre Verantwortung, gerade in den schwierigen Mitbrüdern und Mitschwestern Leben hervorzulocken. Daß das nicht immer einfach ist, erfahre ich zur Genüge. Und manchmal kenne ich auch die Resignation: »Die sollen sich doch selbst mit ihren Problemen zerfleischen.« Aber ich spüre, daß solche Resignation nur Verneinung von Führung ist. Da rüttelt mich die Mahnung des hl. Benedikt wieder auf, daß ich für die mir Anvertrauten vor Gott Rechenschaft ablegen muß, daß es eine Frage meines geistlichen Lebens ist, Führung wahrzunehmen oder nicht.

4. Der Umgang mit den Dingen

Nachdem Benedikt über die Leitung als Dienst an den Menschen geschrieben hat, wendet er sich dem Umgang mit den konkreten Dingen zu:

»Alle Geräte des Klosters und den ganzen Besitz betrachte er wie heilige Altargefäße. Nichts möge er vernachlässigen. Er sei weder geizig noch verschwenderisch und verschleudere den Besitz des Klosters nicht, sondern er halte in allem Maß und folge den Weisungen des Abtes.« (RB 31,10-12)

Ehrfurcht vor dem Besitz

Benedikt bezieht sich in seinem berühmten Wort von den Altargefäßen auf eine Verheißung des Propheten Sacharja. Dort heißt es: »An jenem Tag wird auf den Pferdeschellen stehen: Dem Herrn heilig. Die Kochtöpfe im Hause des Herrn werden gebraucht wie die Opferschalen vor dem Altar. Jeder Kochtopf in Jerusalem und Juda wird dem Herrn der Heere geweiht sein.« (Sach 14,20f)

Benedikt deutet diese Verheißung, daß es keinen Unterschied mehr gebe zwischen sakral und profan, auf den Umgang des Cellerars mit den Geräten des Klosters (vasa = Gerät, Geschirr, landwirtschaftliche Geräte, Möbel usw.) und mit dem Vermögen (substantia = Hab und Gut, Bestand, Geldvermögen). Das zeigt wiederum, daß Benedikt den Dienst des Leitens als eine spirituelle Aufgabe sieht, als einen priesterlichen Dienst. Der sorgfältige und achtsame Umgang mit den Dingen ist wie heiliger Altardienst. Alle Geräte, ob es nun das Küchengeschirr ist oder die Maschinen, die in den Betrieben benötigt werden, sollen wie heilige Altargeräte behandelt werden. Alle sind Gaben Gottes, alle sind von Gottes Güte und Weisheit erfüllt. Und auch das Vermögen (substantia) des Klosters ist nicht nur etwas Äußerliches. Es geht nicht darum, möglichst viel Geld zu erwirtschaften und anzulegen. Es geht vielmehr darum, daß alles, was das Kloster besitzt, Gott gehört. Und daher muß der Cellerar sorgfältig und ehrfürchtig damit umgehen. Hier wird der Besitz nicht verteufelt. Hier geht es nicht um Armut als das Ideal des Lebens, sondern um die Achtsamkeit für das, was Gott uns geschenkt hat. Das Ziel des Besitzes ist es, daß er uns Ruhe schenkt. Aber allzu leicht kann der Besitz uns besessen machen, wenn wir nur darauf aus sind, ihn möglichst immer mehr zu vergrößern. Dann sind wir von der Habgier beherrscht, die für die frühen Mönche eines der drei Grundlaster ist. Es geht nicht um die Habsucht, sondern um die Ehrfurcht vor dem Besitz, vor allem, was zum Kloster gehört. Die Ehrfurcht relativiert unser Besitzstreben. Sie verlangt ein sorgfältiges Umgehen, aber kein gieriges und geiziges. Die Ehrfurcht vor den Dingen entspringt der Kontemplation der Schöpfung, wie sie Evagrius Ponticus beschrieben hat. Zur Kontemplation gehört, daß ich die Dinge so sehe, wie sie wirklich sind, daß ich in allem Gott selbst erkenne als den letzten Urgrund. Und zur Kontemplation gehört der behutsame Umgang mit den Dingen, in denen ich letztlich Gott selbst berühre, dessen Geist alle Dinge durchdringt.

Wie der Cellerar mit den Geräten des Klosters konkret umgehen soll, zeigt Benedikt in einigen Verben: Er soll nichts vernachlässigen (neglegere). »Neglegere« meint eigentlich die Weigerung, zu sammeln oder zu lesen. Es heißt auch: nicht beachten. Vernachlässigen meint, unachtsam mit den Dingen umgehen. Der Cellerar soll mit jedem Gerät des Klosters und mit dem Vermögen achtsam umgehen. Mir tut es oft weh, wenn ich sehe, wie unprofessionell die Verantwortlichen in der Kirche und in kirchlichen Gemeinschaften mit dem Geld umgehen, wie sie nicht sorgfältig genug überlegen, wie sie das Vermögen mehren können. Da spielen oft Angst und falsche Moralismen eine große Rolle. Benedikts Umgang mit den Dingen und mit dem Geld ist frei von solchen ängstlichen Moralismen. Er sieht in allem die Schöpfung Gottes. Auch das Vermögen ist etwas, das den Mönchen von Gott anvertraut worden ist. Daher müssen sie damit sorgsam und achtsam umgehen. Dabei dürfen sie nicht geizig werden. Geiz kommt von Gier. Der Geizige ist zugleich der Geldgierige, der Unersättliche, der nie genug haben kann, der alles festhält und sich an seinem Besitz festklammert. Richtig mit dem Vermögen umgehen heißt auch, es zu teilen mit den Armen, es nicht für sich selbst anzuhäufen, sondern es in den Dienst der Menschen zu stellen. Der Cellerar soll das Vermögen nicht verschwenden oder verschleudern. Er soll in allem Maß halten, er soll alles »mensurate« (im richtigen Maß) tun. Das ist gerade für den Umgang mit Geld wichtig.

Geld hat in sich die Tendenz, ganz von uns Besitz zu ergreifen. Entweder werfen wir das Geld zum Fenster heraus, um damit anzugeben, oder aber wir sitzen auf dem Geld und klammern uns ängstlich daran. Es wäre sicher im Sinne Benedikts, wenn wir uns heute neu überlegen, wie denn ein spiritueller

Umgang mit Geld aussehen könnte. Ich erlebe gerade in Klöstern häufig einen ganz und gar »ungeistlichen« Umgang mit Geld. Da wird mit Geld Macht ausgeübt. Menschen werden vom Geld des Cellerars abhängig gemacht. Sie müssen Geld demütig erbitten. Da bekommt der, den der Cellerar nicht mag, bei jeder Geldbitte zu hören: »Wir haben kein Geld. Wir müssen sparen.« Und der, der ihm schmeichelt, bekommt alles »nachgeworfen«. Es wird mit Geld geprotzt. Es werden teure Bauten hingestellt, da wird mehr Geld ausgegeben, als nötig ist, um vor andern gut dazustehen. Da dient das Geld dem eigenen Prestige. Weil man seinen Grund nicht in Gott hat, muß man sich durch seine Finanzen beweisen und durch großspuriges Finanzgebaren angeben. Oder aber man hat Angst, das Geld zu verlieren, und legt das Geld daher zwar todsicher an, aber so, daß es nichts einbringt. Wer Geld vermehren will, muß auch das Risiko eingehen, es zu verlieren. Schon Jesus hat im Gleichnis von den Talenten auf diese Weisheit angespielt. Da werden die ersten beiden Knechte gelobt, die das ihnen anvertraute Geld verdoppeln, während der dritte Knecht, der sein Talent aus Angst vergräbt, in die »äußerste Finsternis« geworfen wird (vgl. Mt 25,14-30). Nur wer etwas riskiert, kann etwas gewinnen. Wer sein Geld vergräbt, drückt damit aus, daß er Gott mißtraut, daß er viel zu sehr an seiner eigenen Fehlerlosigkeit hängt und in seinem Perfektionismus gefangen ist. Jesus lobt nicht die Leistung der ersten beiden Knechte, sondern ihr Vertrauen. Vertrauensvoll mit Geld umzugehen, darin besteht für mich der spirituelle Umgang mit dem Geld. Vertrauensvoll meint, etwas zu riskieren, aber nicht, das Risiko zu überziehen. Wenn einer Erfolg mit seinen Geldanlagen hat, kann er sich leicht auch überschätzen und das Risiko übertreiben. Es ist dann wie ein Sog, der ihn mit sich nimmt und ihn ins Verderben stürzt. Und ich erlebe Menschen, denen es nur noch um ihr Geld geht, als hohl und leer. Wer davon besetzt ist, nur noch sein Geld zu vermehren, der klammert wesentliche Bereiche seines Menschseins aus. Ich spüre, daß ich mich mit solchen Menschen nicht gerne unterhalte. Es geht von ihnen etwas Unangenehmes aus.

Ich erlebe, wie manche Ordensleute ihre Angst vor dem Risiko mit moralischen Forderungen kaschieren, daß man das Geld nur dort anlegen dürfe, wo man sicher sein kann, daß damit richtig umgegangen wird. Gewiß ist die Wirtschaftsethik gerade im Umgang mit Geld gefragt. Ich muß mir sehr genau überlegen, wie und wo ich mein Geld investiere. Aber ich sehe die Gefahr, daß man heute Geld zu sehr verteufelt und sofort den Banken unterstellt, daß sie damit falsch umgehen. Wenn wir aber das Geld nicht selbst anlegen, wird die Bank erst recht viel Spielraum haben, die eigenen Interessen mit unserem Geld zu verfolgen. Bei manchen Ordensleuten hat man den Eindruck, daß sie dagegen rebellieren, daß es überhaupt Geld, Zinsanlagen und Aktien gibt. Zur Weltbejahung gehört auch, daß ich die wirtschaftlichen Zusammenhänge bejahe. Nur wenn ich sie gelten lasse, kann ich sie auch positiv beeinflussen. Wenn ich mich dem entziehen will, um eine »weiße Weste« vorzuweisen, mache ich mich erst recht schuldig. Denn dann werde ich mit meinem mangelnden Vertrauen andere belasten. Ich werde die Mitarbeiter überfordern und ihnen immer mehr Arbeit aufbürden. Ich spüre, wie bei denen, die so rigoros eine saubere Geldanlage fordern, der Rigorismus sich auch in den Umgang mit den Mitarbeitern einschleicht. Sie merken gar nicht, wie sie, die jede Macht verteufeln, unbewußt Macht ausüben, und zwar eine Macht, die nicht aufbaut, sondern erdrückt. Sie fordern dann sehr viel von ihren Mitarbeitern. Und wenn es um die eigenen Bedürfnisse geht, sind sie meistens auch nicht gerade bescheiden. Da spürt man, wie sich der Schatten bemerkbar macht und nur Unheil anstiftet. Wenn ich sinnvoll mein Geld anlege, kann ich die Mitarbeiter entlasten und ein gutes Betriebsklima schaffen, in dem dann effektiver gearbeitet wird als unter dem Druck der Armut. Mit dem Geld gut umzugehen, ist daher für mich immer auch Dienst am Menschen, Sorge für den Menschen.

Hans Küng hat in seinem Buch »Weltethos für Weltpolitik und Weltwirtschaft« gefordert, daß christliche Theologen bei ihrem Kampf gegen ungerechte Verhältnisse »nicht als ökonomisch-naive Schwarmgeister auftreten, welche die Armut religiös verbrämen und Reichtum pauschal diskreditieren. Erst recht natürlich nicht als fromme Fanatiker, deren Eifertum nur den Mangel an ökonomischer Sachkompetenz überdeckt, die nur zu oft der Welt Wasser predigen und selber Wein trinken«. (Küng 315) Wir sollen uns heute in unserem wirtschaftlichen Verhalten von ethischen Maßstäben leiten lassen. Aber für Küng sind moralische Forderungen ohne ökonomische Rationalität »keine Moral, sondern Moralismus«, »nicht Ethik, sondern Romantik, eine mehr oder weniger fromme Wunschvorstellung«. (Ebd 316) Benedikt moralisiert nicht. Er nimmt die wirtschaftlichen Zusammenhänge an, aber er zeigt einen Weg, wie ich mitten in dieser Welt spirituell mit dem Geld und mit dem Besitz umgehen soll. Das scheint mir für heute ein gangbarerer Weg zu sein als eine romantische Verherrlichung der Armut. Als Cellerar habe ich oft genug erlebt, daß die, die die Armut auf ihre Fahnen schreiben, für sich meistens sehr anspruchsvoll sind und höhere Forderungen stellen als die, die sich vernünftig auf das Wirtschaften einstellen. Was ethische Maßstäbe sind, werde ich erst erkennen, wenn ich mir die Mühe mache, die wirtschaftlichen Zusammenhänge genauer zu erforschen. Es ist sicher sinnvoll, ethische Aktienfonds zu unterstützen. Denn das ist ein Ansporn für manche Unternehmen, den ethischen Grundsätzen zu genügen. Ethische Aktienfonds haben z. B. eine wesentlich höhere Rendite erzielt als ökologische Aktienfonds, die oft einseitig nur auf Unternehmen gesetzt haben, die sich für den Umweltschutz einsetzen, sich manchmal aber auch durch rücksichtslose Methoden gegenüber ihren eigenen Mitarbeitern auszeichnen. Die Maßstäbe der Wirtschaftsethik müssen alle Bereiche des menschlichen Lebens berücksichtigen: den Umgang mit der Schöpfung, die Strukturen des Unternehmens, die Form der Kommunikation, die Achtung vor dem einzelnen Mitarbeiter, den Umgang mit Konkurrenten und Zulieferern. Es ist interessant, daß BMW diesen Maßstäben entspricht, während VW und die Schweizer Pharmariesen Roche und Novartis ihnen nicht gerecht werden.

Eine andere Art der Führung ist heute das Sparen. Es ist sicher sinnvoll, mit den Ressourcen unserer Welt sparsam umzugehen. In unserer Überflußgesellschaft ist das Sparen eine Notwendigkeit geworden, damit die künftigen Generationen noch lebenswerte Existenzbedingungen antreffen. Aber wenn das Sparen vor allem auf Kosten der Menschen geht, wie es etwa im Gesundheitswesen oder im Schulbereich geschieht, dann ist das für mich verantwortungslos. Man kann sich auch zu Tode sparen. Solches Totsparen ist für mich Ausdruck von Phantasielosigkeit. Wenn ich will, kann ich auch auf sinnvolle Weise Geld verdienen. Ich muß nur meine Phantasie walten lassen und neue Modelle entwickeln, wie ich zu Geld komme. Wer nur zu Geld kommen kann, indem er andere auspreßt, ist für mich phantasielos. Er wird auch nur kurzfristig Erfolg haben. Wer phantasievoll mit Geld umgeht, der wird keinem schaden. Vielmehr werden alle davon profitieren. Wer sein Geld nur auf Kosten anderer verdient, wer damit nur seine Rivalen aus dem Feld schlagen möchte, der führt nicht wirklich. Er braucht Besiegte, um sich als Sieger fühlen zu können. Die Kunst wirklicher Führung besteht für mich darin, zu gewinnen, ohne daß ein anderer dabei verliert. »Rivalität ist Gift für die Seele, sie erzeugt Angst und untergräbt die zwischenmenschlichen Beziehungen. Es gibt keinen gesunden Konkurrenzkampf – am Ende gehen Opfer wie Täter daran zugrunde.« (Secretan 214)

Für mich besteht der spirituelle Umgang mit dem Geld, wie ihn Benedikt in seinem berühmten Satz von den heiligen Altargeräten andeutet, in einer dreifachen Richtung:

Mit Geld den Menschen dienen

Geld soll den Menschen dienen. Ich darf mit Geld keine Macht ausüben, sondern ich soll mit dem Geld den Menschen die Möglichkeit schaffen, ihre Fähigkeiten zu entfalten. Im Traum symbolisiert Geld häufig die eigenen Möglichkeiten und Kräfte. Ich gehe spirituell mit dem Geld um, wenn ich damit Menschen die Gelegenheit verschaffe, eine sinnvolle Arbeit zu haben, wenn ich ihnen ermögliche, daß sie sich weiterbilden, daß sie ihre eigenen Ressourcen ausschöpfen, und wenn ich ihnen auch ausreichend Raum für Erholung gewähre. Der spirituelle Umgang mit Geld besteht für mich darin, den Menschen zu dienen und ihnen Lust am Leben zu vermitteln. Wo alles vom Geld abhängt, wo Menschen im Blick auf das zu geringe Geldvermögen überfordert werden, wo Geld den Menschen beherrscht, da wird ungeistlich mit Geld umgegangen. Der Mensch muß im Mittelpunkt stehen und nicht das Geld.

Die Freiheit gegenüber dem Geld

Der spirituelle Umgang mit Geld zeigt sich in der Freiheit dem Geld gegenüber. Ich muß mit Geld umgehen, aber ich muß es immer wieder loslassen. Ich darf mich davon nicht besetzen lassen. Geld kann den Charakter verderben. Geld kann blind machen für die eigentlichen Werte des Lebens. Geld kann dazu dienen, sich hinter einer Maske zu verstecken. Dann wird Geld dazu benutzt, mein mangelndes Selbstwertgefühl zu heben. Ich verstecke mich hinter dem Geld, um der Wahrheit meines Lebens aus dem Weg zu gehen. All diese Gefährdungen des Geldes muß ich erkennen und mich davon frei machen. Der spirituelle Umgang mit Geld wird nur gelingen, wenn ich mich mit meinen Leidenschaften auseinandersetze und mich nicht mehr von Habsucht und Gier, die wohl in jedem Menschen stecken, bestimmen lasse. Für Benedikt besteht der spirituelle Umgang mit Geld vor allem im rechten Maß. Ich muß überlegen, wie ich das Geld gut anlege. Aber ich darf nicht alles tun, was möglich ist. Ich muß mich bewußt selbst beschränken. Und vor allem muß ich das Geld wieder loslassen. Wenn ich auch während der Gebetszeiten immer wieder ans Geld denke, dann ist das ein Zeichen dafür, daß es einen zu großen Raum für mich einnimmt. Bewußt ein Risiko einzugehen und es dann Gott zu überlassen, was daraus wird, das ist für mich Ausdruck der inneren Freiheit dem Geld gegenüber. Und mit Geld kann nur der spirituell umgehen, der innerlich frei davon geworden ist, der sich nicht davon bestimmen läßt.

Phantasievoller Umgang mit Geld

Spiritueller Umgang mit Geld heißt für mich auch, daß ich phantasievoll mit Geld umgehe, daß ich im Vertrauen etwas riskiere, ohne das Risiko zu übertreiben. Phantasievoll mit Geld umgehen, das heißt für mich, die verschiedenen Möglichkeiten, Geld zu verdienen, auszuschöpfen. Ich kann Geld verdienen durch eine Produktion, die auf die Bedürfnisse der Menschen reagiert. Ich muß dann immer wieder neu überlegen, ob meine Firma oder mein Kloster noch das produziert, was heute wirklich gewünscht wird und was den Menschen heute hilft. Produktion soll nicht künstlich Bedürfnisse schaffen, sondern den Menschen dienen, ihre eigentlichen Bedürfnisse zu stillen. Ein anderes Standbein, um Geld zu verdienen, ist der phantasievolle Umgang mit dem Geld. Für mich besteht dieser kreative Umgang mit Geld darin, daß ich die Währungssituation und Zinssituation ausnütze, daß ich z. B. auf dem Euromarkt billige Kredite aufnehme, etwa in Schweizer Franken oder in japanischen Yen, und sie wieder besser anlege, etwa in DM-Auslandsanleihen oder in Dollar- oder Randanleihen. Manche Moralisten sehen darin etwas Anrüchiges. Aber es ist ein typisches Gewinnen, ohne daß es dabei einen Verlierer gibt. Denn wenn ich einen billigen Kredit aufnehme, dann in den Ländern, die zuviel Geld haben. Und ich lege es mit höheren Zinsen dort an, wo Geld benötigt wird. So wird beiden geholfen. Argentinien mußte 1996 noch 11% Zinsen zahlen, weil es zuviel Risiko bedeutete, diesem Land Geld zu leihen. Heute muß es nur noch 7% zahlen. Wenn man also 1996 eine 11,75% Argentinienanleihe gekauft hat, hat man dem Land nicht geschadet, sondern letztlich genutzt. Heute steht seine Wirtschaft besser da.

Mit der Zinsdifferenz zwischen Anlage und Kredit kann man die Projekte fördern, die kein Geld einbringen, wie etwa die Schule, die Lehrlingsausbildung oder Entwicklungsprojekte in der Dritten Welt. Das ist für mich phantasievoller Umgang mit Geld. Anstatt über das mangelnde Geld zu jammern, kann ich nach Wegen suchen, es herbeizuschaffen. Natürlich »wachsen die Bäume nicht in den Himmel«. Man braucht dabei einen langen Atem und auch die nötige Bescheidenheit, daß man nicht alles erreichen kann, was man will. Wer aus Angst das Risiko scheut und lieber bei andern um Geld bettelt, der geht für mich nicht spirituell mit dem Geld um, sondern höchst ungeistlich. Und solch ungeistlichen Umgang mit dem Geld erlebe ich gerade in Klöstern. Phantasievoll mit Geld umgehen heißt für mich, Einfluß zu nehmen auf die wirtschaftliche Situation in der Welt. Und das bedeutet für mich auch, in der Aktienanlage auf Firmen zu setzen, die eine Zukunftsvision haben und die ethischen Maßstäben gerecht werden. Nur wenn ich etwas mit meinen Geldgeschäften bewege, kann ich positiv in das wirtschaftliche Geschehen eingreifen. Wenn ich mich dagegen aufs Moralisieren verlege, dann suche ich überall nach Schuldigen, um mir meine eigene Unschuld zu beweisen. Aber gerade mit der vermeintlichen weißen Weste werde ich schuldig.

5. Der Umgang mit den Menschen

Benedikt fährt in seinen Weisungen an den Cellerar fort:

»Vor allem sei ihm die Demut eigen. Wenn er nichts hat, was er einem geben könnte, schenke er ihm wenigstens ein freundliches Wort, wie geschrieben steht: Ein freundliches Wort geht über die beste Gabe. Für alles, was der Abt ihm auftrug, trägt er die Verantwortung; in Dinge, die er ihm vorenthielt, mische er sich nicht ein. Er gebe den Brüdern ihren Anteil an Speise und Trank, ohne sie von oben herab zu behandeln oder sie warten zu lassen, denn er soll sie nicht verärgern. Er bedenke, was nach Gottes Wort verdient, wer einem von diesen Kleinen Ärgernis gibt.« (RB 31,13–16)

Ein gutes Wort

Sind Achtsamkeit und Sorgfalt die wichtigsten Tugenden im Umgang mit den Dingen, so verlangt Benedikt für den Umgang mit den Menschen vor allem Demut. Die Demut meint kein Sich-klein-Machen oder ein Sich-Anbiedern, sondern als »humilitas« ist sie der Mut, sich der eigenen Menschlichkeit und Erdhaftigkeit zu stellen. Wer andere führt, soll immer wissen, daß er auch nur ein Mensch ist, daß er von der Erde genommen ist und daß er ganz irdische Bedürfnisse hat. Wer um seine eigenen Abgründe weiß, der wird sich nie über andere stellen. Er wird sie nicht verurteilen, ja er wird ihr Verhalten überhaupt nicht werten. Er versucht, mit den andern umzugehen wie mit sich selbst. Die goldene Regel (»Alles, was ihr von anderen erwartet, das tut auch ihnen!« – Mt 7,12) wird zum Maßstab seines Handelns. Er wird den andern so behandeln, wie er es von ihm auch erwartet. Die goldene Regel gilt in allen Religionen als Maxime des menschlichen Handelns. Sie ist in der heutigen Diskussion um eine angemessene Wirtschaftsethik zur allgemein anerkannten Grundlage wirtschaftlichen Handelns geworden.

Die Demut als der Mut, sich seiner eigenen Menschlichkeit zu stellen, führt zur Ehrfurcht und Freundlichkeit den Menschen gegenüber. Benedikt führt weiter aus, was er schon in Vers 7 angedeutet hat. Der Cellerar kann nicht alle Wünsche erfüllen, die die Brüder an ihn richten. Denn die Mittel, die ihm zur Verfügung stehen, sind begrenzt. Aber unbegrenzt ist das gute Wort (sermo responsionis bonus), das er jedem sagen kann. In einer Mönchsgeschichte wird erzählt, wie ein junger Mönch einen heidnischen Priester beschimpft. Der schlägt ihn deshalb halb tot. Als ein weiser und alter Mönch den Priester trifft, spricht er ihn freundlich an. Der ist darob so verwundert, daß er ihm folgt und Mönch wird. Die Geschichte schließt mit dem schönen Wort: »Ein böses Wort macht auch die Guten böse, ein gutes Wort macht auch die Bösen gut.« Das Wort kann einen Menschen verwandeln. Worte, die kränken, machen einen Menschen krank. Worte, die erniedrigen, bewirken im Menschen das Gefühl von Wertlosigkeit. Worte können lähmen oder befreien, sie können beugen oder aufrichten, sie können entmutigen oder ermutigen, verletzen oder heilen, töten oder lebendig machen. Der Cellerar soll daher sehr sorgfältig auf seine Worte achten. Er soll nicht aus einem Ärger oder einer Enttäuschung heraus antworten, sondern immer mit einem guten Wort, mit einem Wort, das wirklich Antwort ist, das sich ganz auf den einläßt, der ihn angesprochen hat. Manche Chefs hören gar nicht richtig zu. Sie gehen nicht auf die Probleme des Mitarbeiters ein, sondern nehmen sie nur zum Anlaß, über sich und die eigenen Probleme zu reden. Das ist dann kein Wort, das aufbaut, sondern eher niederdrückt. Benedikt erwartet vom Vorgesetzten, daß er mit seinem guten Wort das Gute in den Menschen hervorlockt.

Benedikt bezieht sich hier auf die Weisung des Epheserbriefes: »Über eure Lippen komme kein böses Wort, sondern nur ein gutes, das den, der es braucht, stärkt, und dem, der es hört, Nutzen bringt.« (Eph 4,29) Im Griechischen ist hier von Erbauung die Rede. Das gute Wort soll den Menschen aufbauen, anstatt ihn nieder zu reißen, aufrichten, anstatt zu beugen. Bauen heißt eigentlich: »wachsen, gedeihen, entstehen, wohnen«. Das Wort, das erbaut, läßt den Menschen wachsen. Auf das gute Wort hin kann der Menschen aufblühen, er wächst in das Bild hinein, das Gott sich von ihm gemacht hat. Und er findet einen Raum, in dem er wohnen kann. In einem guten Wort kann man wohnen wie in einem Haus, kann man Heimat finden. Ein gutes Wort ist ein heilsamer Lebensraum für den Menschen. Der Epheserbrief schreibt als zweite Wirkung eines guten Wortes, daß es dem Menschen »Wohltat erweisen = charma didonai« soll. Es soll ihm Gnade schenken, Zuwendung, Zärtlichkeit, Liebe. Durch das Wort erreicht meine Liebe den andern und bringt ihn in Berührung mit der Liebe, die in seinem Herzen schlummert und nur darauf wartet, durch ein gutes Wort geweckt zu werden. Daß das gute Wort mehr ist als eine gute Gabe, bezieht sich auf einen Vers bei Jesus Sirach: »Ist das Wort nicht mehr wert als die Gabe? Dem Gütigen steht beides wohl an.« (Jes Sir 18,17) Benedikt schöpft hier aus der Weisheit, wie sie das Buch Jesus Sirach sowohl aus der jüdischen Tradition als auch aus der hellenistischen Philosophie zusammengestellt hat. Die Weisheitssätze in diesem Buch könnten von jeder anderen Religion genauso übernommen werden. Sie drücken die Erfahrung der Menschen überall auf der Erde aus. Benedikt zeigt hier sein weites Herz, indem er sich auf die Weisheitstradition bezieht, die alle Menschen miteinander verbindet.

Bei seinem Umgang mit den Menschen soll der Cellerar also vor allem auf seine Worte achten. Viele Vorgesetzte reden unbedacht. Sie schimpfen ständig auf Mitarbeiter und verbreiten damit ein negatives Klima. Sie betreiben geistige Umweltverschmutzung. Da muß dann jeder Angst haben, daß der Chef über ihn genauso negativ reden wird wie über die andern Mitarbeiter. Andere Vorgesetzte antworten den Untergebenen ironisch oder zynisch und entmutigen sie auf diese Weise. Oder aber sie kritisieren nur. Es gibt Menschen, die nicht loben können, die immer nur das Negative im andern sehen. Wenn sie ins Büro kommen, grüßen sie nicht freundlich die Mitarbeiter, sondern sehen sofort, daß etwas falsch gelaufen ist. Sie entdecken, daß etwas auf dem Schreibtisch liegt, was nicht da hingehört, oder daß im Brief etwas verkehrt geschrieben ist. Sie sind auf das Negative fixiert und werden dann auch nur eine negative Ausstrahlung haben. Der Epheserbrief nennt das böse Wort ein faules und fauliges Wort (sapros), ein Wort, das Fäulnis bei den Menschen bewirkt. Ein gutes Wort lockt Gutes im Menschen hervor. Es hilft ihm, an das Gute in sich zu glauben. Durch ein gutes Wort fühlt sich der Mensch gut. Er kann sich annehmen. Seine Stimmung wird positiv. Und aus dieser Stimmung heraus kann er auch gut arbeiten. Wer andere führt, muß vor allem die Kunst des Lobens beherrschen. Loben heißt ja: gut zu einem Menschen sprechen (benedicere), Gutes über ihn und zu ihm sagen. Wer das Gute im Menschen anspricht, lockt es auch in ihm hervor. Er motiviert den Mitarbeiter damit mehr als durch Kritik und Kontrolle.

Heute meinen viele Vorgesetzte, sie müßten die Mitarbeiter vor allem kontrollieren. Doch wer alles kontrollieren will, dessen Betrieb gerät sicher außer Kontrolle. Denn wer zu scharf kontrolliert wird, der entwickelt Gegenkräfte. Er versucht, seine Energie darauf zu verwenden, die Kontrolle zu umgehen. Kontrolle kann zwar Fehler verhindern, aber sie weckt kein Leben. Das gute Wort dagegen lockt Leben in den Mitarbeitern hervor. Der Epheserbrief nennt vor allem zwei Wirkungen des guten Wortes: es baut auf und es schenkt Zuwendung und Zärtlichkeit. Das gute Wort richtet nicht nur den Mitarbeiter auf, sondern es trägt auch bei zum Aufbau eines guten Arbeitsklimas und zum Aufbau der Firma. Es ist wie ein Fundament, auf dem sich ein Betrieb aufbauen kann. Und das gute Wort ist Zeichen von Zuwendung, von zärtlicher Hinwendung zum einzelnen. Wer solche Zuwendung erfahren hat, der kann sich auch mit ganzem Herzen der Arbeit zuwenden. Wer Ablehnung erfährt, der wendet sich nicht nur von den Menschen ab, die ihn ablehnen, sondern auch von seiner Arbeit. Er ist zu sehr mit sich und seiner Kränkung beschäftigt, als daß er sich auf seine Arbeit einlassen kann.

Sich nicht in alles einmischen

Der nächste Vers läßt auf negative Erfahrungen Benedikts mit dem Verwalter des Klosters schließen. Er soll sich nur um das kümmern, was der Abt ihm aufgetragen hat, und sich nicht in alles einmischen. Es gibt Vorgesetzte, die ihre Nase in alles stecken. Sie meinen, sie seien für alles zuständig. Sie begnügen sich nicht mit ihrer eigenen Aufgabe, sondern nehmen sich heraus, zu allen Bereichen der Firma ihre Meinung zu sagen und in fremde Kompetenzen einzugreifen. Sie schaffen damit nur Durcheinander. Benedikt meint sicher nicht, daß der Cellerar nicht das Ganze sehen soll. Er muß seine Aufgabe immer im Rahmen der ganzen Abtei erfüllen. Er soll über den engen Tellerrand seiner Aufgabe schauen. Aber er darf sich nicht in alles einmischen und keine Gegenregierung bilden. In vielen Firmen bauen sich Abteilungsleiter eine Hausmacht auf, die sie in alle Bereiche hinein ausspielen. Von allen Bereichen sammeln sie eifrig Informationen, die sie dann bei Gelegenheit gegen ihre Rivalen ausspielen. Überall haben sie ihre Hand im Spiel. Das blockiert die effektive Arbeit. Wer führt, muß auch loslassen können. Er muß sich begnügen mit der Aufgabe, die ihm aufgetragen ist. Wenn er sie gut durchführt, dann trägt er zum Aufbau der ganzen Firma bei. Wenn er sich aber ständig um die Arbeit der andern kümmert, bringt er nur Sand ins Getriebe. Und oft genug lenkt er von der Fehlerhaftigkeit seines eigenen Handelns ab, indem er andern Abteilungen nachweist, was sie falsch machen.

Informationen weitergeben

Nochmals kommt Benedikt auf den konkreten Umgang mit den Menschen zu sprechen. Der Cellerar soll den Brüdern ihren Anteil an Speise und Trank zuteilen, ohne sie von oben herab zu behandeln, ohne sie warten zu lassen und ohne sie zu verärgern. Der Anteil an Speise und Trank steht heute für den Lohn, den der Betrieb an die Arbeitnehmer auszahlt. Aber er kann auch für all die Informationen stehen, die der Chef den Mitarbeitern weitergeben, an die Zeit für Gespräche, die er mit ihnen teilen soll. Durch Zuhören und Wertschätzen, durch Achtung und Diskretion, und das Ansehen, das der Vorgesetzte seinen Mitarbeitern schenkt, nährt er sie. Und nur ein Führungsstil, der die Mitarbeiter nährt, anstatt sie auszusaugen, ist auf Dauer für alle

»nahrhaft«. Höflichkeit und Liebenswürdigkeit werden heute wieder neu als wichtige Führungsmittel gesehen. »Schlechte Umgangsformen vergiften das Klima, und die Seele wird krank. Höflichkeit gehört zu den wirksamsten Gegenmitteln, höfliches Verhalten ist Balsam für die Seele.« (Secretan 112) Die Mitarbeiter erwarten von ihrem Vorgesetzten, daß sie ernst genommen werden, daß er ihnen zuhört, wenn sie von ihren Problemen erzählen, daß er ihre Würde achtet und sich darum kümmert, wie es ihnen eigentlich geht.

Wertschätzung

Entscheidend ist, daß der Leitende seine Mitarbeiter nicht von oben herab behandelt. Er darf sich nicht über sie stellen und sie spüren lassen, daß er mehr ist als sie. Er soll sie seine Macht nicht fühlen lassen. Er darf sie nicht von oben herab behandeln, sondern eher von unten, so daß er ihnen ihre Wertschätzung zeigt. Nicht Hochmut, sondern Demut ist gefragt. Der Hochmütige hält seine Nase hoch. Er erhebt sich über die andern. Viele Mitarbeiter fühlen sich von ihrem Chef erniedrigt, gedemütigt, entwertet. Das lähmt und erzeugt ohnmächtige Wut. Diese ohnmächtige Wut blockiert aber die Zusammenarbeit und bindet unnötig Kräfte. Diese so gebundenen Kräfte stehen dann dem Unternehmen nicht mehr zur Verfügung. Eine Weise, die Mitarbeiter von oben herab zu behandeln, besteht darin, sie warten zu lassen. Pünktlichkeit ist die Tugend der Könige, heißt ein Sprichwort. Der König läßt seine Untergebenen nicht warten. Er achtet sie, indem er sich an die vereinbarte Zeit hält. Anscheinend haben viele Verantwortliche heute diese Tugend verloren. Sie zeigen ihre Wichtigkeit, indem sie ihre Untergebenen möglichst lange warten lassen. Manche Politiker kommen grundsätzlich zu spät, ebenso manche Bischöfe und manche Chefs. Ja, es gibt ganz unfaire Methoden, die Mitarbeiter bewußt warten zu lassen und sie sogar mit Videokameras zu beobachten. Wenn der Chef die Abteilungsleiter im Konferenzraum lange warten läßt, erzeugt er damit eine große Spannung. Er kann dann beobachten, wer angepaßt ist, wer rebelliert, wer es wagt, den Chef zu kritisieren. Und er zermürbt mit dem Warten seine Mitarbeiter und kann leichter durchsetzen, was er möchte. Aber so ein unfairer Arbeitsstil wird sich nicht auszahlen. Die Mißachtung der Mitarbeiter wird bald zu einer Mißachtung des Chefs führen. Der Chef wird vielleicht gefürchtet, aber nicht geachtet. Man wird seine Aggressionen irgendwann gegen ihn richten und beim kleinsten Fehler an seinem Stuhl sägen. Nicht umsonst sagt Benedikt vom Abt, daß er danach suchen soll, »mehr geliebt als gefürchtet zu werden« (RB 64,15). Wer in der Firma nur Furcht erzeugt, der lähmt die Mitarbeiter. Nur für den Chef, den man liebt, geht man durchs Feuer. Den gefürchteten Chef läßt man im Regen stehen.

Nicht verärgern

Der Cellerar soll seine Brüder nicht verärgern (non scandalizentur). Benedikt zitiert hier ein Wort aus der Gemeinderegel, wie sie Matthäus im 18. Kapitel aufgestellt hat: »Wer einen von diesen Kleinen, die an mich glauben, zum Bösen verführt, für den wäre es besser, wenn er mit einem Mühlstein um den Hals im tiefen Meer versenkt würde.« (Mt 18,6). Mit den Kleinen sind bei Matthäus schlichte und einfache Christen gemeint. Es sind also die ganz normalen Mitarbeiter gemeint, die, die keine Lobby für sich haben. Ihnen muß der Vorgesetzte mit der gleichen Achtung begegnen wie denen, die in der Rangordnung der

Firma höher stehen. Das lateinische Wort für »verärgern« heißt »scandalizo«. Es bedeutet eigentlich: Fallen stellen. Wenn der Cellerar die Brüder warten läßt oder sie von oben herab behandelt, stellt er ihnen eine Falle. Er läßt sie in die Falle des Ärgers tappen. Und damit übt er Macht über sie aus. Denn wer sich über mich ärgert, der wird in seiner Stimmung von mir bestimmt, der muß den ganzen Tag an mich denken. Für manche Vorgesetzte ist das eine innere Befriedigung, ihre Mitarbeiter zu verärgern, ihnen ihre Macht zu zeigen. Wenn sie ihre Mitarbeiter oder auch Kunden warten lassen, dann geben sie ihnen zu verstehen, daß es eigentlich eine Gnade ist, daß sie sich überhaupt Zeit für sie nehmen. Doch so ein Verhalten weckt in dem, der warten muß, eine ohnmächtige Wut oder aber Resignation oder das Gefühl von Abhängigkeit. Durch das Warten wird nicht nur wertvolle Zeit vertan. Die Motivation, seine Zeit auszunutzen zum Wohl der Firma, wird sinken. Und man wird das Verhalten nach unten weiter geben. Dann läßt jede Abteilung die andere warten und zeigt so ihre Macht. Manche kommen zu gemeinsamen Sitzungen grundsätzlich zu spät und ziehen so alle Aufmerksamkeit auf sich. Damit stellen sie den andern eine Falle. Ein guter Vorgesetzter durchschaut diese Falle und umgeht sie. Er fängt die Sitzung pünktlich an. Wer zu spät kommt, ist selbst schuld. Die Gruppe gibt ihm nicht die Macht, daß alle warten müssen. Aber die Mitarbeiter können sich gegen das Wartenlassen des Vorgesetzten kaum wehren. Daher ist es zutiefst unfair, sie durch Wartenlassen zu verärgern und ihnen damit Fallen zu stellen, die sie in ihrer ohnmächtigen Wut festhalten.

Was Benedikt im Cellerarskapitel über den Umgang mit Menschen schreibt, das führt er weiter aus in den beiden Abtskapiteln. Da wird seine ganze Weisheit der Menschenführung sichtbar. So möchte ich einige Verse aus den Abtskapiteln 2 und 64 zitieren, die sich vor allem auf den Umgang mit den Menschen beziehen, um die Führungsgrundsätze aus dem Cellerarskapitel zu ergänzen. Im 2. Kapitel heißt es.

Der Abt »*wisse, wie schwer und mühevoll die Aufgabe ist, die er übernommen hat: Seelen zu leiten und der Eigenart vieler zu dienen, dem einen mit freundlichen Worten, einem andern mit Tadel, einem dritten mit gutem Rat. Dem Charakter und der Fassungskraft jedes einzelnen suche er zu entsprechen und sich allen so verständnisvoll anzupassen, daß er an der ihm anvertrauten Herde nicht nur keinen Schaden leidet, sondern sich am Gedeihen einer guten Herde freuen kann. Vor allem darf er nicht hinwegsehen über das Heil der ihm anvertrauten Seelen oder es geringschätzen und sich größere Sorgen machen um vergängliche, irdische und hinfällige Dinge. Er sei sich vielmehr stets seiner Aufgabe bewußt: Er hat Seelen zu leiten, für die er einst auch Rechenschaft ablegen muß. Die vielleicht zu geringen Einkünfte seien ihm kein Entschuldigungsgrund; er denke an das Schriftwort: Euch muß es zuerst um das Reich Gottes und um seine Gerechtigkeit gehen; dann wird euch alles andere dazugegeben. Und ferner: Wer ihn fürchtet, leidet keinen Mangel.*« (RB 2,31–36)

Führung verlangt sehr viel Menschenkenntnis. Und sie verlangt Beweglichkeit. Für Benedikt heißt Führung: Seelen leiten (regere animas). Es geht also nicht darum, Menschen hin- und herzuschieben, sie als Arbeitskräfte zu nutzen, sondern ihrer Seele gerecht zu werden. Seelen leiten, das meint, daß ich auf das

Innere des Menschen achte, daß ich auf sein ursprüngliches und einmaliges Bild achte, das Gott sich von ihm gemacht hat. Ich soll so mit dem Menschen umgehen, daß er sein urpersönliches Bild verwirklichen kann, daß er so leben kann, wie Gott es ihm zugetraut hat. Echte Führung besteht darin, die Seele des Menschen anzusprechen und sie zu beflügeln. Wenn die Führung die Seele des Menschen mißachtet oder unterdrückt, dann schneidet sie ihn ab von seiner inneren Quelle, aus der Phantasie, Lust an der Arbeit und Kreativität hervorsprudeln. Die Seele ansprechen heißt, für die Kreativität einen Raum schaffen, ein »Heiligtum«, wie Secretan es nennt. »Vorgesetzte, die die Seele durch Kreativität befreien wollen, müssen ein ›Heiligtum‹ schaffen, in dem Fehlschläge nicht bestraft, sondern als nützliche Erfahrungen bewertet werden.« (Secretan 262) Secretan führt hier das Beispiel der großen Autofirma Chrysler an. Der Chef, Lee Iacocca, hat Hal Sperlich, den Erfinder eines Kleinautos, gefördert und ihm ermöglicht, seine Erfindung in die Tat umzusetzen. Sperlich hatte 10 Jahre lang vergeblich seine Erfindung bei der Konkurrenzfirma Ford durchsetzen wollen. Als er von Iacocca zu Chrysler geholt und dort entsprechend unterstützt wurde, er hielt Chrysler einen solchen Innovationsschub, daß die Firma aufblühte und die Aktien in die Höhe schnellten. Die Berücksichtigung der Seele brachte der Firma mehr Gewinn als alle früheren Unternehmensstrategien, die nur auf Vorsicht und genaue Kalkulation ausgelegt waren.

Leben mehren

Benedikt verlangt vom Abt, daß er der Eigenart vieler dient, daß er sich auf jeden einzelnen einläßt. Führung heißt für mich, daß ich den einzelnen meditiere, daß ich mir überlege, was in ihm für

Fähigkeiten stecken, was seine Begrenzungen und Gefährdungen sind, was ihn fördern und was ihn behindern könnte. So soll der Abt sein Verhalten dem Charakter und der Fassungskraft (intelligentia) des einzelnen anpassen. Das Ziel ist, daß der einzelne und die Gemeinschaft wachsen können. Benedikt spricht hier von »augmentatio« und zeigt damit, wie er Autorität versteht. Autorität kommt von »augere = mehren«. Der Abt soll das Wachstum des einzelnen mehren, er soll das Leben im einzelnen und in der Gemeinschaft stärken. Unserem Abt in Münsterschwarzach ist das ein großes Anliegen, daß jeder eine gediegene Ausbildung bekommt und sich ständig auch fortbilden kann. Das bringt neue Ideen in die Gemeinschaft und zahlt sich auf Dauer auch finanziell aus. Leider sind diese Grundsätze nicht in allen Klöstern erfüllt. Da versuchen Obere, mit den Mitbrüdern nur »Löcher zu stopfen«, anstatt sie zu mehren. Mehren, das würde bedeuten, den Mitarbeitern genügend Raum zur Fortbildung zur Verfügung zu stellen und für sie eine Atmosphäre zu schaffen, in der sie ihre Fähigkeiten am besten verwirklichen können. Das wird auf Dauer auch der Gemeinschaft Nutzen bringen. Natürlich geht es nicht darum, daß der einzelne nur an sich denkt. Das Mehren hat nur Sinn, wenn wir gemeinsam wachsen, wenn die Förderung des einzelnen allen zugute kommt.

Nicht überfordern

Der Mensch ist Benedikt wichtiger als der wirtschaftliche Erfolg. Häufig werden in den Betrieben die Menschen dem Erfolg untergeordnet. Benedikt schärft dem Abt ein, daß er die zu geringen Einkünfte des Klosters nicht als Grund gelten läßt, die Menschen zu überfordern und über ihr Heil (salus animarum) hinwegzusehen. Das Heil, das Ganzsein, das Wohl des einzelnen geht Benedikt über den Erfolg. Ich erlebe in Klöstern, daß man die einzelnen überfordert, weil man die geringen Einkünfte anführt. Also müssen alle noch mehr arbeiten, damit das Kloster wirtschaftlich gut dasteht. Aber diese Mißachtung des einzelnen führt nicht zu wirtschaftlichem Erfolg. Im Gegenteil, wenn der einzelne überfordert wird, wird auf Dauer auch keine gesunde finanzielle Grundlage geschaffen werden können. Auch hier wird wieder die spirituelle Grundlage des Führens und Wirtschaftens deutlich. Wenn der Abt zuerst das Reich Gottes sucht, dann wird er auch richtig mit dem Wirtschaftlichen umgehen, dann wird ihm alles andere hinzugegeben. Das ist keine billige Ausrede. Es entspricht vielmehr der Erfahrung. Wer wirklich Gott sucht, der wird auch mit der Welt richtig umgehen. Wer Gott fürchtet, wird auch achtsam mit den Menschen umgehen, und dann wird er keinen Mangel leiden. Wenn eine Gemeinschaft ein Ziel hat, das sie beflügelt, dann wird sie auch Ideen entwickeln, wie sie wirtschaftlich erfolgreich arbeitet. Mit Druck und mit dem moralischen Zeigefinger, daß alle noch mehr arbeiten mussen, damit die Gemeinschaft überleben kann, wird man auf Dauer nicht effektiv führen.

Den Vorrang des Menschen vor allen wirtschaftlichen Zielen und vor allen Idealen und Ideologien, denen wir uns so oft unterordnen und in die wir uns hineinzwängen, hat Benedikt auch im 64. Kapitel im Auge:

Der Abt »*hasse das Böse und liebe die Brüder. Muß er zurechtweisen, so gehe er klug vor und tue nicht zuviel des Guten, damit das Gefäß nicht zerbricht, wenn er den Rost allzu eifrig auskratzen will. Stets mißtraue er seiner eigenen Gebrechlichkeit und erinnere sich: Ein geknicktes Rohr darf man nicht brechen! Damit sagen wir nicht, er dürfe Fehler wuchern lassen, sondern er schneide sie klug und liebevoll heraus, wie es dem einzelnen nach seiner Ansicht hilft – was wir schon sagten –; und er suche, mehr geliebt als gefürchtet zu werden.*

Er sei nicht aufgeregt oder ängstlich, nicht maßlos oder eng- stirnig, nicht eifersüchtig oder argwöhnisch, weil er sonst nie zur Ruhe kommt. Bei Anordnungen sei er weitsichtig und besonnen. Ob sein Arbeitsauftrag, den er erteilt, Göttliches oder Weltliches betrifft, wisse er zu unterscheiden und Maß zu halten. Er denke an die Unterscheidungsgabe des heiligen Jakob, der sprach: Wenn ich meine Herden unterwegs überanstrenge, gehen alle an einem einzigen Tag zugrunde. Dieses und andere Zeugnisse für die Un- terscheidungsgabe – die Mutter der Tugenden! – nehme er sich vor; so ordne er alles mit Maß, damit die Starken finden, was sie suchen, und die Schwachen nicht weglaufen.« (RB 64,11–19)

Die Menschen lieben

Hier sind wichtige Grundsätze für die Menschenführung be- schrieben. Da gilt zunächst das Wort, das Benedikt im Anschluß an Augustinus formuliert, daß der Abt das Böse hassen, aber die Brüder lieben solle. Es geht nicht um einen Laissez-faire-Stil der Führung. Denn das wäre ein Zeichen der Schwäche. Aber der Abt muß genau unterscheiden zwischen Person und Sache, zwi- schen dem, was nicht stimmt, und den Menschen, die von den Mechanismen des Bösen bestimmt werden und sich in eine fal- sche Richtung ziehen lassen. Bei aller Korrektur muß der Ver- antwortliche immer auch die Menschen lieben, die er korrigiert. Er muß ihnen zutrauen, daß sie es eigentlich gut meinen und nur aus Unwissenheit in die Irre gegangen sind. Aber die Liebe allein genügt nicht bei der Menschenführung. Sie muß gepaart sein mit der Klugheit. Er darf nicht zuviel des Guten tun. Das »ne quid nimis = nur nicht zuviel« ist ein volkstümliches Sprichwort. Der Verantwortliche braucht die Weisheit des Volkes. Das Volk weiß, daß alles Zuviel dem Menschen nur schadet. Die Mönche sagen, alles Übermaß stamme von den Dämonen. Wer zu viel verbessern will, verschlechtert nur. Wer zu stark zurechtweist, der verletzt den Menschen. Die Psychologie (etwa Paul Watzlawick) spricht hier von dem Grundsatz des »immer mehr desselben«, der mehr Probleme schafft, als daß er sie löst. Wenn ich immer mehr Leistung verlange, immer größeres Tempo, immer höhere Produktion, immer mehr Umsatz, dann steht am Ende dieser Fahnenstange der totale Zusammenbruch.

Arzt sein

Benedikt bringt hier das Bild des Gefäßes, das zerbricht, wenn man den Rost allzu eifrig auskratzt. Benedikt verbindet dieses Bild aus der Volksweisheit mit dem biblischen Bild, das Matthäus für das Verhalten Jesu aus dem Buch Jesaja zitiert. In den vielen Krankenheilungen wird erfüllt, was Jesaja vom Gottesknecht verheißt: »Das geknickte Rohr wird er nicht zerbrechen und den glimmenden Docht nicht auslöschen.« (Mt 12,20) Der Abt wird also mit dem Arzt Jesus verglichen, der andere zu heilen vermag. Führen hat auch mit Heilen zu tun. Wer andere führt, muß es zu ihrem Heil tun. Er muß so führen, daß die anderen ihre Ganzheit finden, daß sie ihre innere Spaltung aufgeben und als ganze Menschen in der Gemeinschaft leben und arbeiten können. Hier wird ein wichtiger Grundsatz des benediktinischen Führungsmodells sichtbar. Führen wird hier mit dem Tun Jesu verglichen. Der Führende soll wie Jesus die Menschen aufrichten, sie ermutigen, sie heilen. Führen und Heilen wird hier zusammen gesehen. Das ist ein hoher Anspruch. Und doch geht von der Art der Führung auf die Menschen sehr viel aus, entweder Krankmachendes oder Heilendes, entweder Erniedrigendes oder Aufbauendes. Die letzte Verantwortung des Vorgesetzten liegt nach Benedikt darin, daß er seine Mitarbeiter heilt. Die Heilung kann geschehen, indem er ihnen die Arbeit vermittelt, die ihnen Lust am Leben schenkt. Eine Arbeit, die Spaß macht, wirkt heilend nicht nur auf die Seele, sondern auch auf den Leib. Und die Heilung kann geschehen, indem der Führende seinen Mitarbeiter achtet, seine Verletzungen ernst nimmt, nicht in seinen Wunden bohrt, daß er sich in jeden einzelnen hineinmeditiert und sich überlegt, was ihm zum Leben dienen könnte. Indem er Leben hervorlockt und Lebensfreude vermittelt, wirkt er genauso heilend auf seine Mitmenschen wie der Arzt, der die richtige Diagnose stellt und nach der passenden Medizin sucht. Ein gesundes Betriebsklima, bedingt durch eine gute Führung, kann heilsame Medizin sein für die vielen Wunden, die die Mitarbeiter täglich in den Betrieb mitbringen. Durch Mißachtung und Kränkung werden die Wunden immer wieder neu aufgebrochen und breiten sich wie ein Krebsgeschwür in der Firma aus. Daher hat der Vorgesetzte eine große Verantwortung für die Gesundheit seiner Mitarbeiter.

Die eigene Gebrechlichkeit

Benedikt schärft dem Abt ein, er solle stets seiner eigenen Gebrechlichkeit mißtrauen. Er weiß um die vielen Mönchsgeschichten, in denen ein allzu strenger Mönch den jungen Mönch, der von seiner Sexualität angefochten wird, in Verzweiflung stürzt, weil er ihn zu hart anfaßt. Oft genug zeigt sich dann, daß der, der so streng tadelt, selbst nicht halten kann, was er beim andern einfordert. Es ist eine Erfahrungstatsache, daß die größten Moralisten nie das leben, was sie von andern verlangen. Daher soll der Verantwortliche bei sich selbst genau hinschauen, ob er denn verwirklichen kann, was er von andern fordert oder bei ihnen korrigiert. Heute klaffen der Anspruch vieler Manager an ihre Mitarbeiter und ihr eigener Lebensstil völlig auseinander. Aber kein Chef kann vor seinen Mitarbeitern verbergen, wie er eigentlich lebt. Durch die Kluft zwischen Anspruch und Wirklichkeit werden die Mitarbeiter enttäuscht und demotiviert. Die Mitarbeiter ärgern sich besonders dann, wenn ein Chef von seinen Untergebenen alles verlangt und mit ihnen überstreng umgeht, sich selbst aber alles gönnt und sich an keine Moral hält. Wenn wir die Menschen genauer betrachten, die so rigoros mit andern umgehen, so entdecken wir in ihnen oft, daß sie mit ihrer Strenge andern gegenüber von ihren eigenen Schwächen ablenken möchten. Wenn ich um meine eigene Gebrechlichkeit (fragilitas = Hinfälligkeit, Unbeständigkeit) weiß, dann werde ich milder mit den Mitarbeitern umgehen, die einen Fehler gemacht haben. Ich werde mich nicht über sie stellen. Denn ich weiß, daß ich für mich selbst auch nicht garantieren kann. Aber ich darf die Zügel auch nicht einfach schleifen lassen. Ich darf nicht in einen Pessimismus verfallen, daß die Menschen halt alle von Grund auf böse sind, daß man bei verfahrenen Verhältnissen nichts machen könne. Solches Jammern hilft nicht weiter und ist nur Eingeständnis von mangelnder Führungsqualität.

Mit der Wahrheit konfrontieren

Als ich mit 32 Jahren Cellerar wurde, hatte ich den Eindruck, daß manches in unserem Kloster so verfahren sei, daß man nichts mehr ändern könne. Ich sprach öfter mit P. Richard, der lange Direktor in einer großen Firma gewesen war, bevor er mit

69 Jahren ins Kloster eintrat. Er ließ solches Jammern nie gelten und meinte, es liege immer an der Führung. Führung ist aktives Gestalten und Führung ist vor allem Zuwendung. Wenn so vieles im argen liegt, dann ist es oft ein Zeichen dafür, daß sich die Mitarbeiter nicht beachtet fühlen, daß sich nie jemand wirklich um sie gekümmert hat. Benedikt schärft dem Abt ein, er dürfe die Fehler nicht wuchern lassen. Er soll den Lastern (vitium = Verletzung, Entehrung, Fehler, Laster, das Schlechte) keinen Nährboden bereiten (nutriri), indem er seine Macht auf Intrigen und unklaren Informationen aufbaut oder indem er die Mitarbeiter gegeneinander aufhetzt, damit er selbst gut dastehen kann. Wenn er das Böse nährt, indem er gegen Mitarbeiter schürt und schlecht über sie redet, würde er die Gemeinschaft damit zerstören. Das würde eine Bewegung nach unten auslösen. Keiner würde sich mehr anstrengen. Es sei doch sowieso gleichgültig, wie man lebe. Der Abt verschließe ja die Augen vor der Realität. In einem solchen defaitistischen Klima entsteht ein Sog, der langsam alle nach unten mitreißt. In manchen Firmen begegnet man einem Sumpf von Emotionen und Intrigen, daß da nie etwas Gutes herauskommen kann. Führung heißt, die Fehler anzusprechen und – wie Benedikt sagt – abzuschneiden, zu amputieren. Es geht ihm also um ein wirksames Beseitigen der Fehler, nicht nur um ein moralisierendes Schimpfen gegen alles, was schief läuft. Der Abt soll die Wurzeln der Fehler abschneiden und nicht nur ihre Symptome behandeln. Das kann nur gelingen, wenn er die Gemeinschaft mit ihrer eigenen Wahrheit konfrontiert und wenn er gemeinsam ansprechen läßt, was die einzelnen gegeneinander haben. Nur durch Ansprechen und Aufarbeiten der Mißverständnisse und Konflikte kann ein Klima entstehen, in dem man miteinander anstatt gegeneinander arbeitet. Aber dieses Ansprechen und das Abschneiden der Fehler und Laster geschehe mit Klugheit und Liebe. Heute sind

viele klösterliche Gemeinschaften, aber auch viele Firmen, unfähig zu einem offenen Gespräch über die wirklichen Probleme miteinander. Sie können nicht klug und liebevoll über sich reden, sondern nur noch aggressiv und verletzend. So zieht sich jeder auf sich selbst zurück und sucht, nur auf sich selbst zu schauen. Doch in so einem Betriebsklima kann nichts gedeihen. Und vor allem werden in einem Klima der Sprachlosigkeit viele Menschen krank. Daher braucht es gruppendynamische Erfahrungen für jeden Leiter, damit er das Gespräch der Mitarbeiter fördern und zum Weg der Heilung und Reinigung der Gemeinschaft ausbauen kann.

Mit dem Herzen denken

Zweimal fordert Benedikt in diesem kurzen Abschnitt vom Abt Klugheit. Das lateinische Wort »prudentia« kommt von »providentia – Vorsehen, Voraussehen«. Der Kluge sieht über das hinaus, was ihm in die Augen fällt. Er hat einen weiten Horizont. Er ist mit seinen Augen nicht auf die Fehler fixiert, sondern sieht sie in einem größeren Zusammenhang. Er schaut sich die Wirklichkeit von allen Seiten an und entscheidet dann in aller Ruhe, was er für richtig hält. Er agiert nicht hektisch, sondern aus einer bedächtigen Ruhe heraus. Er läßt sich Zeit, die Argumente dessen zu hören, den er korrigiert. Er urteilt nicht sofort, sondern sieht sich die Sache erst einmal an, ohne zu werten. Das deutsche Wort »klug« heißt eigentlich: »fein, zart, zierlich, gebildet, geistig gewandt, mutig, beherzt«. Der Kluge hat einen feinen Sinn. Dem feinen Sinn entgeht nichts. Der Grobe erkennt nur die Oberfläche, der Feine sieht den Hintergrund, das Klima, in dem der Fehler entstehen kann. Und der Kluge denkt mit dem Herzen. Daher ist die Klugheit immer auch mit Liebe verbunden. Der Kleine Prinz bei Saint-Exupéry weiß, daß man nur mit dem Herzen gut sehen kann. Das deutsche Wort lieben kommt von der Wurzel »liob = gut«. Und es hängt zusammen mit glauben = gut sehen, und loben = gut nennen. Um einen Menschen lieben, um gut mit ihm umgehen zu können, muß ich das Gute in ihm sehen, an das Gute in ihm glauben, und ich muß das Gute auch ins Wort bringen. Indem ich einen Menschen lobe, wecke ich in ihm das Gute. Wenn ich nur auf das Negative fixiert bin, dann bin ich wie einer, der ständig den Rost wegkratzen will und gar nicht merkt, daß das Gefäß nur noch eine ganz dünne Wand hat, die jeden Augenblick zu zerbrechen droht.

Angst lähmt – Liebe belebt

Der Grundsatz, daß der Abt danach strebe, mehr geliebt als gefürchtet zu werden, geht wieder auf Augustinus zurück, den Benedikt offensichtlich sehr schätzt. Manche Chefs meinen, sie seien nur dann gut, wenn alle vor ihnen Angst hätten. Doch Angst lähmt. In einem Klima der Angst gedeihen keine neuen Ideen und es kann nicht wirklich kreativ und effektiv gearbeitet werden. Da sieht jeder nur darauf, daß er selber keine Fehler macht. Angst verbindet nicht, sondern entzweit. Jeder kreist nur um sich. Er versucht nur, selbst gut dazustehen, damit er nicht kritisiert werden kann. Wer Angst hat, wird jeden Fehler den andern zuschieben. So entsteht ein Klima des Mißtrauens und der gegenseitigen Verdächtigung. Das Klima des Mobbing, das heute in vielen Firmen verbreitet ist, geht letztlich auf den Führungsstil der Verantwortlichen zurück. Wer von seinen Mitarbeitern gefürchtet werden will, der erzeugt ein Klima der Angst und der Spaltung. Da kämpft dann einer gegen den andern. Die einzige

Gemeinsamkeit, die entsteht, ist die der Verbündung gegen den Schwächsten. Der Schwächste wird zum Sündenbock. Aber sobald der Sündenbock geschlachtet ist, braucht man schon den nächsten. Es wird nie ein Klima entstehen, in dem man gerne arbeitet. Denn jeder lebt in der Angst, als nächster zum Sündenbock gestempelt und abgeschossen zu werden. So paßt sich jeder an, um nicht aufzufallen. In solch einem Klima der Anpassung geht fast 80 % der Energie verloren, seine Stellung zu behaupten. Dann ist keine Energie mehr frei für eine effektive und phantasievolle Arbeit.

Während Angst lähmt und entzweit, verbindet die Liebe und erzeugt ein Klima der Lust an der Arbeit. Benedikt meint mit seiner Forderung, daß der Abt danach streben solle, geliebt zu werden, sicher nicht, daß er sich überall beliebt machen und anbiedern sollte. Das wäre ein Zeichen von Schwäche. Wenn die Untergebenen spüren, daß der Verantwortliche darauf angewiesen ist, Zuwendung zu bekommen und gelobt zu werden, dann verachten sie ihn. Liebe und Respekt gehören durchaus zusammen. Nur wenn der Chef in sich selbst ruht und nicht abhängig davon ist, daß er bei allen beliebt ist, wird er wirklich geliebt werden. Wenn der Chef nur sein Bedürfnis nach Liebe bei den Mitarbeitern auslebt, muß er sich die Liebe erkaufen durch Zugeständnisse oder Bevorzugung. Nur wenn er frei ist, wenn er sich selbst aus Liebe den Mitarbeitern zuwendet, können sie ihn lieben. Wer Liebe gibt, wird Liebe empfangen. Wer Liebe erkauft, läuft ihr vergebens hinterher. In einem Klima der gegenseitigen Liebe arbeitet jeder für jeden, nicht nur für den Chef, sondern auch für den Mitarbeiter nebenan. Liebe schafft Gemeinschaft untereinander. Und Liebe weckt Lust an der Arbeit. Wer gerne arbeitet, weil er sich in seiner Arbeit geachtet und geliebt fühlt, der wird weniger krank feiern und motivierter an seine Arbeit gehen. Für einen Chef, vor dem man Angst hat, arbeitet man nicht gerne, da macht man keine Überstunden. Für einen Chef aber, den man liebt, sieht man nicht auf die Zeit, da fühlt man sich bei der Arbeit beflügelt.

Das richtige Maß verwirklichen

Die negativen Haltungen, die Benedikt beim Abt ausschließen will, entsprechen denen, die wir schon im Cellerarskapitel gesehen haben. Der Abt darf nicht ängstlich sein. Der Ängstliche wird auch um sich herum ein Klima der Angst erzeugen. Interessant ist die Forderung, daß der Abt »non sit nimius«. Er soll das Maß nicht überschreiten, er soll nicht zuviel arbeiten, zu streng sein, zu genau, zu schnell. Mit dem »zuviel« entmutigt er seine Mitarbeiter. Sie fühlen sich unterlegen. Wenn einer eine Haltung zu einseitig ausgebildet hat, dann wird die entgegengesetzte Haltung in den Schatten verdrängt und wird sich von daher negativ auf die Umgebung auswirken. Der Abt muß in sich das richtige Maß verwirklichen. Er soll im Gleichgewicht sein zwischen den verschiedensten Neigungen, Gefühlen, Tendenzen. Wer als Vorgesetzter extrem ist, wird auch um sich herum die Extreme fördern und damit seine Mitarbeiter spalten. Ein Zuviel auf der einen Seite wird immer durch ein Zuwenig auf der andern Seite erkauft. Wer andere führen will, muß um seine inneren Gegensätze wissen und sie im Gleichgewicht halten.

Ohne Eifersucht und Argwohn

Benedikt mahnt den Abt, er solle nicht eifersüchtig oder argwöhnisch sein, weil er sonst nie zur Ruhe komme. Wenn ein Chef eifersüchtig ist auf die, die mehr können als er, auf die, die bei den Mitarbeitern beliebter sind als er, dann kann er niemanden gelten lassen. Ich kenne einen Leiter einer psychosomatischen Klinik, der krankhaft eifersüchtig auf alle guten Therapeuten ist. Wenn ein Therapeut bei den Patienten beliebter ist als er selbst, dann wird er zu seinem Gegner. Denn dieser nimmt ihm ja ein Stück von der Beliebtheit, die er für sich selbst reklamiert. Eine Schwester erzählte mir von ihrer Oberin, daß sie ihr schwere Vorwürfe gemacht hat, wenn der Chef der Einrichtung sie lobte. Sie mußte sich klein machen, damit sie von der Oberin nicht klein gemacht wurde, sobald sie Anerkennung von außen fand. Das hat sie völlig gelähmt und ihr jeden Schwung genommen. Die Rücksicht auf die eifersüchtige Oberin hat sie mehr Kraft gekostet als ihre Arbeit mit den Patienten. In solch einem Klima kann man nicht gut arbeiten. Hier wird nicht geführt, sondern behindert. Ein eifersüchtiger Chef saugt einem alle Energie ab. Die Motivation schwindet. Man fühlt sich kraftlos. Das deutsche Wort »Eifersucht« hängt zusammen mit »scharf, bitter, herb«. Der Eifersüchtige verbreitet um sich herum Bitterkeit. Das Gift der Bitterkeit zerstört das Arbeitsklima und macht die Mitarbeiter krank. Wer andere leiten will, muß frei von Eifersucht sein. Nur dann kann er sie gelten lassen und kann sich an ihrer Arbeit und ihrer Ausstrahlung freuen.

Ähnlich ist es mit dem Argwohn. Das lateinische Wort »suspiciosus« heißt, »sub specie« sehen, auf etwas insgeheim sehen, im Verdacht haben. Ich sehe den andern nicht, wie er ist, sondern durch die Brille meiner Verdächtigung, meines Argwohns. Das deutsche Wort Argwohn kommt von »arg = schlecht, böse« und »wohn = Wahn«. Es ist ein Wahn, eine krankhafte Einbildung, die wir uns vom andern machen. Wenn ich den andern durch die Brille meines eigenen Wahns sehe, dann sehe ich überall Gespenster. Ich entdecke überall Intrigen gegen mich, Ablehnung, Kritik. Und ich kämpfe dann gegen Windmühlen, gegen die

Wahnvorstellungen meiner kranken Phantasie. Ich verbrauche meine Energie, um die vermeintlichen Intrigen in Schach zu halten. Solche Scheingefechte verschlingen sehr viel Energie. Mitarbeiter in Firmen erzählen mir, daß bei ihnen mehr als ein Drittel der Arbeitskraft durch solchen Argwohn, durch solche Scheingefechte gebunden ist. Da denke ich mir aus, was der andere von mir denken könnte. Es gibt Menschen, deren Gedanken nur darum kreisen, was wohl andere von ihnen denken könnten und wie sie auf diese vermeintlichen Gedanken am besten reagieren sollten. Wer sich ständig über die Gedanken der andern Gedanken macht, der kann keine klaren Gedanken mehr über seine Arbeit fassen. Er wird in seiner Arbeit blockiert. Er kann sich nicht der Sache widmen und sie so ordnen, wie es ihr entspricht. Vielmehr sieht er alles durch die Brille seines Argwohns. Er benutzt seine Arbeit, um auf die Gedanken der anderen zu reagieren, anstatt sich sachlich auf das einzulassen, was ansteht.

Wenn der Verantwortliche von solchen Gedanken der Eifersucht und des Argwohns bestimmt wird, dann kommt er nach der Meinung des hl. Benedikt nie zur Ruhe. Die Ruhe ist offensichtlich die Bedingung, gut zu arbeiten. Wer ständig in der Unruhe lebt, was die Angestellten wieder alles anstellen könnten, der kommt nie zu der Arbeit, die ihm eigentlich aufgetragen ist. Er wird die Gemeinschaft nicht führen, sondern er wird mit seiner eigenen Unruhe die andern anstecken und ständig Sand ins Getriebe streuen. Manche Manager können nicht zuhören. Sie wittern in jeder Bitte eines Angestellten einen Affront gegen sich selbst. Sie hören nicht hin, was die andern sagen, sondern machen sich gleich eine Theorie zurecht, was der andere wohl im Schilde führt. In solch einem Klima der Verdächtigung und Unruhe kann nichts Gutes herauskommen. Die Mitarbeiter spüren das Mißtrauen. Sie spüren, daß der Vorgesetzte nur mit sich selbst beschäftigt ist, daß er gar nicht frei ist, sich ihnen und den Problemen zu widmen und nach sachlichen Lösungen zu suchen. Und der Verantwortliche wird sich damit selbst überfordern. Seine Führungsaufgabe wird dann anstrengend. Er wird gegen alle Fronten kämpfen. Andere Verantwortliche verstecken sich hinter ihrer Unruhe. Sie sind ständig beschäftigt, um ja nicht kritisiert zu werden. Die Mitarbeiter haben den Eindruck, daß der Chef sich für alle aufopfert, aber daß er überfordert ist und nie zur Ruhe kommt. Von so einem Verantwortlichen kann keine wirkliche Führung ausgehen. Er erzeugt bei den Mitarbeitern höchstens Mitleid. Oder aber er versucht, seine Unruhe auf die Mitarbeiter zu übertragen, indem er ihnen ständig neue Strategien verordnet. Doch sie durchschauen schnell, daß dieses ständige Herumändern nicht aus einer klaren Vision kommt, sondern nur aus der eigenen Unruhe. Und daher versanden alle Änderungsversuche wirkungslos.

Unterscheiden und Maß halten

Die Unterscheidungsgabe (discretio) ist für Benedikt die Mutter aller Tugenden. Sie ist gerade für den Abt die Voraussetzung einer klugen und besonnenen Führung. Die Unterscheidungsgabe war im frühen Mönchtum Voraussetzung für die geistliche Begleitung. Sie ist eine Gabe des Heiligen Geistes. Man kann sie nicht einfach lernen. Aber man kann sie einüben, indem man bei sich selbst seine Gedanken und Gefühle genau zu beobachten und zu unterscheiden lernt. Die »Discretio« meint letztlich die Unterscheidung der Geister: was entspricht dem Geist Gottes und was dem Ungeist dieser Welt? Welcher Gedanke kommt von Gott und welcher von den Dämonen? Für die Mönche ist es ein wichtiges Kriterium, daß nur die Gedanken von Gott kommen, die im Menschen einen tiefen Frieden bewirken. Wer unterscheiden kann, der kann auch entscheiden. Er trifft seine Entscheidungen nicht nach irgendwelchen Methoden, sondern aufgrund seiner Unterscheidungsgabe, aufgrund seines inneren Gespürs für das Richtige. Die besten Entscheidungen werden nicht getroffen, indem man alle Informationen verarbeitet und unzählige Argumente nach allen Seiten hin bedenkt, sondern indem ein Verantwortlicher seiner Intuition traut. Wer seiner Intuition folgt, weiß, was stimmt. Er kann nicht genau begründen, warum diese Entscheidung richtig ist. Er hat sie »aus dem Bauch heraus« getroffen, nicht vom Kopf aus. Er hat ein inneres Gespür für das, was stimmt. Das meint die »discretio«.

Benedikt zitiert das Beispiel des Jakob, der seine Herden nicht überanstrengen wollte, weil sie sonst alle zugrunde gingen. Hier ist die Unterscheidungsgabe nicht nur gepaart mit der klaren Entscheidung, nicht weiter zu wandern, als der Herde gut tut, sondern auch mit dem richtigen Maß. »Discretio« heißt daher beides: Maß und Unterscheidungsgabe. Gerade heute in unserer maßlosen Zeit täte eine Führung gut, die um das rechte Maß für die Menschen weiß. Nur wenn wir das rechte Maß halten, können wir auf Dauer gut und effektiv arbeiten. Der Leiter darf sein Maß nicht zur Richtschnur für die andern machen. Manche Chefs vermitteln den Mitarbeitern ständig das Gefühl, daß sie zu wenig arbeiten. Sie selbst arbeiten ununterbrochen und erwarten das unbewußt auch von den Mitarbeitern. Führung heißt, daß ich das Maß jedes einzelnen erkenne und achte. Ich kann ihr Maß aber nicht erkennen, indem ich sie unterfordere und in Ruhe lasse. Ich soll sie vielmehr herausfordern, damit sie die Grenze ihrer Leistungsfähigkeit entdecken. Aber wenn sie an ihre Grenze stoßen, muß ich das respektieren. Dann muß ich sehen, was ich dem Mitarbeiter innerhalb seiner Möglichkeiten zutrauen darf. Es gibt heute viele Mitarbeiter, die aus Angst, überfordert zu werden, sich zu enge Grenzen setzen. Sie grenzen sich überall ab, nur um ja nicht zuviel zu tun. Aber das macht sie auch nicht zufrieden. Ich muß mein Maß einmal überschritten haben, um zu erkennen, wo meine wahre Grenze liegt. Wenn ich nie an die Grenze gekommen bin, weiß ich auch nicht, wieviel in mir drin steckt.

Ausgleich zwischen Starken und Schwachen

Benedikt verbindet »discretio« und »temperare« noch einmal in diesem kurzen Absatz, wenn er schreibt: *»Dieses und andere Zeugnisse für die Unterscheidungsgabe (discretio) – die Mutter der Tugenden! – nehme er sich vor; so ordne er alles mit Maß (temperet), damit die Starken finden, was sie suchen, und die Schwachen nicht weglaufen.«* (RB 64,19) Die Unterscheidungsgabe soll dazu führen, alles richtig zu ordnen und zu lenken. »Temperare« meint in sich schon ein Ordnen, das maßvoll ist, das das Maß des Menschen trifft. »Temperare« kommt von »tempus = Abschnitt am Himmel, Zeit, Zeitpunkt, Augenblick«. Es kommt vom griechischen Wort »temno = abschneiden«. Führen heißt für Benedikt daher, alles mit dem richtigen Maß anzuordnen, alles zur rechten Zeit und im richtigen Augenblick geschehen zu lassen. Führen hat mit Gestalten und Formen zu tun. Ich soll alles so formen, wie es der Wirklichkeit am besten entspricht, und es in die Gestalt bringen, die ihm zugedacht ist. »Temperare« heißt auch mildern und lindern. Benedikt versteht unter Führung nie etwas Gewaltsames, sondern: »milde« machen, weich machen, formen, gestalten, in die angemessene Form bringen.

Aber dieses milde Formen und Gestalten hat durchaus Kraft. Eine Pflanze, die langsam in die Form hineinwächst, die ihr zugedacht ist, hat ja auch eine ungeheure Kraft. Sie kann Beton durchdringen und unbeirrbar weiter wachsen. Die Kraft der Führung zeigt sich darin, daß die Starken in der Gemeinschaft durch den Abt herausgefordert werden. Es geht nicht darum, Starke und Schwache zu nivellieren, sondern beiden gerecht zu werden. Die Starken sollen finden, was sie suchen. Sie sollen die Herausforderung finden, immer weiter zu wachsen, immer mehr ihre Kräfte zu messen und Neues auszuprobieren. Und die Schwachen sollen nicht davonlaufen, weil es ihnen zu schwer ist. In diesem Satz steckt für mich viel Weisheit. Wenn ich eine Gemeinschaft einteile in Starke und Schwache, dann spalte ich sie. Wenn ich alle gleich behandle, dann schwäche ich sie, dann richten sich alle nach dem schwächsten Glied. Der Verantwortliche muß Starken und Schwachen zugleich gerecht werden. Zunächst ist jeder von uns oft stark und schwach zugleich. Die Starken haben ihre Schwächen und die Schwachen ihre Stärken. Daher sind beide aufeinander angewiesen. Benedikt steht hier in einer langen Tradition, in der die Beziehung der Starken zu den Schwachen in einer Gemeinschaft bedacht worden ist. Die Starken sollen die Schwachen mittragen. Basilius (+ 379) versteht das Tragen der Starken als »auf sich nehmen und heilen«. Und er zitiert und interpretiert das Schriftwort: »Er hat unsere Krankheiten getragen und unsere Schmerzen auf sich genommen. Nicht daß er sich selbst die Schwächen zugezogen hätte! Er hat sie ihren Trägern abgenommen und sie geheilt.« (Holzherr 305) Die Schwachen werden durch die ausdauernde Beständigkeit und Gesundheit der Stärkeren geheilt. Die Schwachen zu ertragen heißt, ihnen ihre Schwierigkeiten abnehmen und sie wegtragen. Das scheint ein zu hohes Ideal zu sein, das die Starken überfordert. Aber Benedikt will niemanden überfordern. Er möchte nur nicht, daß die Starken ihre Kraft in die falsche Richtung lenken. Wenn der Starke nur damit beschäftigt ist, den Schwachen zu übertreffen, dann wird der Wettkampf langweilig. Und wenn er nur mit den Starken kämpft und die Schwachen links liegen läßt, dann gibt es einen ewigen Konkurrenzkampf, der viele Kräfte bindet. Die Kraft des Starken strömt in die richtige Richtung, wenn er den Schwachen trägt, wenn er ihn unterstützt, wenn er ihm etwas von seiner Kraft, von seinem Vertrauen, von seinen Fähigkeiten mitteilt. Dann bekommt auch der Schwache Lust an der Arbeit. Dann wird er in seinem Rahmen so gut arbeiten, wie er kann. Und er kann sich an dem freuen, was durch Starke und Schwache gemeinsam entsteht. Das wird auf Dauer für die Gemeinschaft zum Segen.

Wir sollen in uns unterscheiden, was stark und schwach ist, und wir sollen uns mit beiden Seiten aussöhnen. Wenn wir dagegen in uns nur die starken Seiten sehen, spalten wir die schwachen ab. Was wir in uns abgespalten haben, projizieren wir auf die andern. Und damit schaffen wir um uns herum Spaltung. Ich kenne Abteilungsleiter, die überall, wohin sie kommen, in kurzer Zeit ihre Abteilung spalten. Weil sie selbst gespalten sind, können sie nur Spaltung bewirken. Manche meinen, das sei Führung. Denn dann würde klar, wer stark und wer schwach ist, wer für den Chef arbeitet und wer kritisch ist. Aber diese Spaltung ist für Benedikt das Gegenteil von Führung. Führen heißt, allen gerecht zu werden, allen Freude am Miteinander und an der Arbeit zu vermitteln, allen das Gefühl zu geben, daß sie wertvoll sind und gebraucht werden.

Wenn eine Firma nur ihre Leistungsträger behält und die Schwachen entläßt, wird das zwar kurzfristigen Erfolg bringen. Aber es schafft ein Klima der Angst, in dem keiner schwach sein darf. Jeder Starke hat auch Schwächen. Jeder kann auch einmal depressiv werden, er kann in eine Krise geraten, wenn seine Ehe ins Wanken gerät, wenn er krank wird, wenn seine Kinder ihm Sorgen bereiten. In einer Firma, in der die Schwachen herausgeboxt werden, leben alle in der Angst, daß sie die nächsten sind. Keiner kann immer stark sein. Die Angst, der nächste zu sein, der den Anforderungen nicht mehr gerecht wird, lähmt die Mitarbeiter und schneidet sie von ihren eigentlichen Stärken ab. Wahre Stärke kann ich nur zeigen, wenn ich es mir auch erlauben kann, schwach zu sein. Daher ist es die Aufgabe der Führung, auch Angestellte mit zu tragen, die nicht den Erwartungen entsprechen. Es heißt nicht, daß man sie einfach gewähren läßt. Sie sollen herausgefordert werden. Aber, wie Benedikt sagt, sie sollen nicht entmutigt werden. Wer mitarbeitet, hat auch das Recht, daß man ihn mitträgt. In solch einem Klima können auch die sog. »Schwachen« ihre Stärken einbringen. Und manchmal werden gerade sie zum Segen für ein Unternehmen.

6. Die Sorge für sich selbst

Der Verantwortliche soll nicht nur für die Gemeinschaft und für die einzelnen Mitarbeiter sorgen, für Starke wie für Schwache, sondern auch für sich selbst. Nur dann wird er auch den andern gerecht werden können. So beschließt Benedikt das Kapitel über den Cellerar:

> *Wenn die Gemeinschaft größer ist, gebe man ihm Gehilfen. Von ihnen unterstützt, erfülle er das ihm anvertraute Amt, ohne den Frieden der Seele zu verlieren.« (RB 31,17)*

Kräfte einteilen

Wer Verantwortung für andere übernimmt, muß auch verantwortlich mit seinen eigenen Kräften umgehen. Wenn er sich ständig überfordert, wird er auch der Gemeinschaft nicht wirklich helfen. Denn er wird dann unbewußt auch von der Gemeinschaft mehr verlangen, als sie zu leisten imstande ist. Wenn ich mich für die andern verausgabe, werde ich unbewußt auch Ansprüche daran knüpfen, etwa den Anspruch, daß die andern mir das danken oder sich genauso engagieren müßten. Wenn die Gemeinschaft diese Erwartungen nicht erfüllt, werde ich bitter. Ich werde dann mit meiner Arbeit ein dauernder Vorwurf für die Gemeinschaft und in den Mitarbeitern Schuldgefühle hervorrufen. Damit aber diene ich nicht wirklich der Gemeinschaft. Schuldgefühle drücken nieder und erzeugen ein lähmendes Klima. Ich erlebe immer wieder Chefs, die sehr viel arbeiten, ohne Rücksicht auf ihre eigene Gesundheit zu nehmen. Aber sie sind zugleich sehr empfindlich gegenüber jeder Kritik. Sie reagieren barsch auf jede Kritik: »Die andern sollen erst einmal genausoviel arbeiten, dann könnten sie auch mitreden.« Man merkt, daß sie nicht aus innerer Freude heraus soviel arbeiten, sondern um sich hinter ihrer Arbeit zu verstecken und sich unangreifbar zu machen. Ein Chef, den man nicht kritisieren darf, ist kein Vorgesetzter. Er geht nicht voran, sondern versteckt sich hinter der Mauer seiner Arbeit und seiner Empfindlichkeit.

Ohne Arbeitssucht

Viel zu arbeiten ist nicht immer nur Tugend. Es kann auch Ausdruck von Arbeitssucht sein. Viele Manager sind arbeitssüchtig. Wer sich als reine Leistungsmaschine versteht, wird von vielen Zwängen bestimmt. Irgendwann wird der Suchtcharakter seiner Arbeit offensichtlich. Er verfällt dann vielleicht dem Alkohol oder Medikamenten, oder er brennt völlig aus. Arbeitssüchtige Menschen müssen viel verdrängen. Ihre Sehnsucht nach Leben und Liebe wird in den Schatten verbannt. Ihre Menschlichkeit wird abgespalten. Im Betrieb sind sie harte Arbeiter, und nur daheim erlauben sie sich ein bißchen Menschlichkeit. Es entsteht eine Spaltung in zwei Persönlichkeiten, die anscheinend nichts mehr miteinander zu tun haben, so wie Dr. Jekyll und Mr. Hyde in dem berühmten Roman von Stevenson. Dr. Jekyll ist tagsüber ein netter Wissenschaftler. Aber nachts verwandelt er sich in den gewalttätigen und rücksichtslosen Mr. Hyde. Je einseitiger jemand für seine Firma arbeitet, desto gefährlicher wird seine verdrängte Schattenseite. Er merkt gar nicht, wie sich hinter seiner vermeintlichen Tugend sehr viel zerstörerische Aggression verbirgt. Diese Aggression kann sich dann daheim in der Familie austoben, aber oft genug wird sie sich auch in die Arbeit hineinmischen, so daß er mit seiner Arbeit nicht mehr aufbaut, sondern zerstört.

Gleichmut der Seele

Der Cellerar soll genügend Mitarbeiter haben, damit er seine Aufgabe erfüllen kann, ohne den Frieden der Seele zu verlieren. Im Lateinischen ist hier von »solacia« die Rede, von Tröstern, die dem Cellerar zur Seite stehen, die ihm zum Trost werden bei der Menge seiner Arbeit. Das lateinische Wort für »Trost« meint, daß einer nicht allein gelassen wird mit seiner Not. Der Cellerar soll nicht allein auf sich gestellt sein. Er soll Mitarbeiter haben, die mit ihm gemeinsam die Verantwortung tragen, mit denen er besprechen kann, wie die wirtschaftliche Zukunft des Klosters gesichert werden soll. Benedikt hat hier also ein Team vor Augen, das sich gegenseitig stützt. Er denkt nicht an die »einsamen« Entschlüsse des Cellerars, sondern an das gemeinsame Erarbeiten von Lösungen, die für alle gut sind. Die Hilfe dieses Teams soll es ihm ermöglichen, daß er seine Arbeit »aequo animo« (= mit Gleichmut) erfüllen kann. Dieser Begriff kommt aus der stoischen Philosophie und meint, daß der Mensch gelassen und frei von Affekten und Begierden leben soll. Er soll nicht aufgewühlt werden von heftigen Emotionen, sondern bei allem innere Ruhe bewahren. Für die Stoa ist das ein hohes Ideal, das der Mensch in jeder Lebenslage erfüllen sollte. Benedikt weiß aber, daß für den Gleichmut und die Gelassenheit nicht nur die persönliche Reife ausschlaggebend ist, sondern auch die äußeren Umstände. Er möchte den Cellerar nicht überfordern. Er möchte ihm durch die Gehilfen Arbeitsbedingungen schaffen, in denen er gelassen und mit innerem Frieden seine Aufgabe erfüllen kann. Nur dann kann er auch Frieden in der Gemeinschaft verbreiten.

In dem Wort »aequo animo« wird deutlich, daß Benedikt gut mit dem Cellerar und mit allen, die Verantwortung haben, umgeht. Er schärft zwar dem Cellerar und dem Abt immer wieder ihre Verantwortung für die Menschen ein. Aber er möchte auch den Verantwortlichen selbst nicht überfordern. Der Cellerar soll in aller Ruhe und Konsequenz arbeiten können. Benedikt weiß, daß ein gehetzter Cellerar niemandem nützt, daß er um sich herum Hektik und Hetze verbreiten wird. Nur wenn der Cellerar gelassen und mit innerem Frieden arbeitet, wird er um sich eine Atmosphäre der Ruhe und des Friedens schaffen. Gleichmut hat auch mit Gleichgewicht zu tun. Der Führende soll seine Gegenpole, Liebe und Aggression, Disziplin und Disziplinlosigkeit, Arbeit und Muße, Konsequenz und Milde, im Gleichgewicht halten. Dann wird auch um ihn herum ein ausgewogenes Klima entstehen, in dem die Mitarbeiter ihre eigene Gegensätzlichkeit leben können, ohne einen Pol in den Schatten abdrängen zu müssen. Wer nicht im Gleichgewicht ist, wer einen Pol allein lebt, der verbreitet um sich einen tiefen Schatten, der die Mitarbeiter einnebelt und sie im Unklaren läßt.

Reinheit des Herzens

Um zum inneren Frieden zu gelangen, muß der Cellerar den spirituellen Weg nach innen gehen. Für die Stoa ist der Gleichmut nur zu erlangen, wenn wir mit unseren Affekten gut umgehen, wenn wir die Leidenschaften in uns zur Ruhe bringen. Das griechische Wort, das mit »aequo animo« übersetzt wird, heißt »euthymein«. Es heißt eigentlich: guten Mutes sein, gut in seinem Gemüt sein, sich wohl fühlen in seinem emotionalen Bereich. Der Gleichmütige geht gut um mit seinen Emotionen. Er läßt sie zu, er fühlt sie, aber er läßt sich von ihnen nicht bestimmen. Für die Mönche ist es der Zustand der »apatheia« (Leidenschaftslosigkeit) oder der »puritas cordis« (Reinheit des Herzens), der dem stoischen Gleichmut ähnelt. Evagrius Ponticus hat das Ringen um die »apatheia« ausführlich beschrieben. Der Mönch muß sich seiner Leidenschaften bewußt werden, er muß die Kraft, die in ihnen steckt, für seinen Weg zu Gott nutzen. Dann wird er in einen Zustand inneren Friedens gelangen, in dem die Leidenschaften ihn nicht mehr bestimmen, sondern in dem sie zur Ruhe kommen und ihm dienen. Für Cassian, auf den Benedikt immer wieder zurückgreift, ist es der Zustand der Reinheit des Herzens, der inneren Lauterkeit, in der unsere Absichten nicht mehr von Nebengedanken verunreinigt sind, in der wir aus reiner Liebe handeln, in der wir durchlässig sind für Gott. So setzt Benedikt voraus, daß der Cellerar konsequent den spirituellen Weg geht, damit er die Reinheit des Herzens erlange und so mit innerem Frieden die Gemeinschaft leiten könne. Er darf durch die täglichen Konflikte der Mitarbeiter nicht aus seinem Gleichgewicht gebracht werden. Nur so kann sich das Durcheinander an Emotionen, das bei der Zusammenarbeit immer wieder zu entstehen pflegt, wieder beruhigen. Ohne diesen inneren Gleichmut würde der Cellerar zur Ursache des Chaos und nicht zum Problemlöser.

Der innere Raum der Stille

Ein Weg zum inneren Frieden ist die Kontemplation, wie sie Evagrius Ponticus beschreibt. In der Kontemplation gelangt der Mönch in den inneren Raum der Stille, zum Ort Gottes, in dem

Gott selbst in uns wohnt. Zu diesem Raum des Schweigens haben die Turbulenzen von außen und von innen keinen Zutritt. Für mich ist es daher wichtig, mir jeden Morgen bei der Meditation vorzustellen, daß mich das Jesusgebet in diesen inneren Raum der Stille führt, in dem der dreifaltige Gott in mir wohnt mit seiner Barmherzigkeit und Liebe. Dort, in diesem inneren Ort des Schweigens, können mich die Menschen mit ihren Erwartungen nicht erreichen. Da lassen mich die Konflikte und Streitereien in Ruhe. Da kann ich nicht verletzt werden. Da erlebe ich eine gute Distanz zu allem, was um mich herum geschieht. Da erfahre ich die Freiheit von der Macht der Menschen, von der Macht ihrer Erwartungen, ihrer Ansprüche, ihrer Urteile und Verurteilungen. Nur wenn ich in diesem inneren Raum bin, kann ich gelassen und mit innerer Freiheit auf die täglichen Konflikte reagieren. Wenn ich mich dagegen zu sehr in die Konflikte hineinziehen lasse, kann ich sie nicht durchschauen und nicht angemessen darauf reagieren. Ich werde dann parteiisch entscheiden. Wenn ich jedoch durch die tägliche Meditation mit meiner inneren Mitte in Berührung bin, habe ich das Gefühl, daß es in mir einen Raum gibt, der von den täglichen Streitigkeiten unberührt bleibt, einen Raum, der nicht von dieser Welt ist und daher von den weltlichen Geschäften nicht bestimmt werden kann. Die Verbindung mit diesem inneren Raum schenkt mir Frieden, Gelassenheit und eine gesunde Distanz, aus der heraus ich objektiver reagieren kann. Wenn ich mich von den Konflikten bestimmen lasse, fühle ich mich sehr schnell gelähmt und erschöpft. Ich habe das Gefühl, gegen Windmühlen zu kämpfen. Kaum ist ein Konflikt vorbei, taucht schon der nächste auf. Wenn ich jedoch mit dem inneren Raum in Berührung bin, fühle ich mich frei, darauf zu reagieren, ohne daß es mich ermüdet. Denn ich habe einen gesunden Abstand zu den Dingen. In mir ist etwas, das von den Dingen unberührt bleibt. Ich merke selbst, daß die Aufgabe des Führens nur gelingt, wenn ich konsequent meinen spirituellen Weg gehe und wenn ich auch während der Arbeit mit dem inneren Raum des Schweigens in Kontakt bin. Nur aus dem inneren Frieden heraus werde ich auch um mich herum Frieden verbreiten können. Und wenn ich mit diesem Raum der Stille in Berührung bin, werde ich nicht so leicht ausgebrannt. Denn ich spüre, daß in diesem Raum eine Quelle sprudelt, die nie versiegt, weil sie von Gott kommt. Aus dieser Quelle kann ich immer wieder schöpfen, ohne sie zu je ganz auszuschöpfen. Erschöpfte Menschen zeigen, daß sie aus eigener Kraft arbeiten und nicht aus der unerschöpflichen göttlichen Quelle, die in ihnen strömt.

7. Das Ziel des Führens –
Spirituelle Unternehmenskultur

Im letzten Satz des Cellerarskapitels gibt Benedikt das Ziel des Führens an. Es ist so ganz anders, als es in den Führungsseminaren vermittelt wird. Aber vielleicht sind die Worte Benedikts gerade so eine Herausforderung auch für unsere Zeit. Da heißt es:

»Zur bestimmten Zeit gebe man, was zu geben ist, und erbitte, was zu erbitten ist, damit im Hause Gottes niemand verwirrt oder traurig wird.« (RB 31,18f)

Die rechte Zeit

Das erste Ziel des Führens ist, daß ein verläßliches und klares Betriebsklima geschaffen wird. Benedikt spricht von den »horis conpetentibus«, von den angemessenen Stunden, von der passenden Zeit, in der gegeben und gefordert werden sollte. »Competere« heißt eigentlich: »zusammen etwas zu erreichen suchen, zusammen kommen, sich schicken, passen, gemäß sein«. Das Ziel des Führens ist, daß die Mitarbeiter gemeinsam ein Ziel zu erreichen suchen, daß nicht jeder nur für sich kämpft, sondern daß ein Miteinander entsteht. Aber dieses Miteinander soll nicht nur auf die Menschen beschränkt sein, sondern auch auf die Beziehung zwischen Mensch und Zeit, ja letztlich auch zwischen Mensch und Schöpfung. Mensch und Zeit sollen zusammen kommen, sollen sich gegenseitig entsprechen. Wenn der Mensch alles zur rechten Zeit tut, tut es ihm selbst gut. Die rechte Zeit, in der man bekommt, was man braucht, und in der man das fordern kann, was nötig ist, schafft ein ruhiges und klares Betriebsklima. Wenn alles zur rechten Zeit geschieht, fühlt sich der Mensch ernst genommen. Wenn alles seine Ordnung hat, kommt auch der Mensch innerlich zur Ordnung. Für die Griechen sind die Horen Göttinnen, die das Jahr begleiten und ihm Fruchtbarkeit schenken. Für Hesiod sind die drei Horen »Regelmaß, Recht und Friede« Töchter des Zeus. Benedikt steht noch in der Tradition der griechischen Kultur, für die die rechte Stunde nicht nur eine Frage der Pünktlichkeit und Disziplin war. Die griechische Kultur hatte vielmehr noch ein Gespür für das Geheimnis der rechten Zeit, die den Menschen innerlich ordnet, die dem Menschen den richtigen Rhythmus schenkt. Und nur wenn der Mensch seinem inneren Rhythmus (heute spricht man von Biorhythmus) entspricht, kann er auf Dauer Frucht bringen. Der Mensch darf nicht gegen seine Natur und gegen seinen Rhythmus arbeiten. Sonst richtet er sich zugrunde. Zeit und Mensch müssen zusammenkommen, damit auf Dauer eine sinnvolle und effektive Arbeit möglich wird. Wenn der Mensch nur nach der Stechuhr arbeiten muß und seine innere Uhr verdrängt, wird er bald ausgelaugt sein. Das haben heute viele Firmen wieder neu entdeckt, wenn sie eine Gleitarbeitszeit einführen.

Arbeitsklima

Das eigentliche Ziel der Führung gibt Benedikt in dem Satz an, daß »im Hause Gottes niemand verwirrt oder traurig wird – ut nemo perturbetur neque contristetur in domo Dei«. Das ist ein anderes Ziel als Gewinnmaximierung. Es geht Benedikt einmal um den Menschen und sein Heil, seine Gesundheit und sein Wohlbefinden, zum andern um Gott. Die Führung soll vermitteln, daß keiner der Mitarbeiter in Verwirrung oder Unruhe getrieben, verletzt oder aus der Fassung gebracht werde (= perturbetur). Nicht Unruhe und Hektik soll die Führung verbreiten, sondern Frieden und Klarheit, Ruhe und Lust am Arbeiten. Wer andere zur Hetze treibt, verletzt und haßt sie. Der Cellerar soll die Brüder nicht hassen, sondern lieben. Ausdruck dieser Liebe ist es, daß er die Brüder nicht hetzt, sondern ihnen ein ruhiges und angenehmes Arbeitsklima schafft, in dem sie gerne und mit innerer Achtsamkeit und Gelassenheit arbeiten können. In manchen Betrieben wird die Klarheit durch hektische Betriebsamkeit ersetzt. Da werden alle paar Wochen neue Maßnahmen verkündet und es wird alle paar Jahre umstrukturiert. Man möchte schließlich an der Spitze der neuen Bewegung stehen. Aber oft verdeckt diese Betriebsamkeit nur, daß man das Ziel aus den Augen verloren hat. So hat es schon Mark Twain erkannt, wenn er schreibt: »Als sie das Ziel aus den Augen verloren, verdoppelten sie ihre Anstrengung.« Die Mönche sollen ihr Ziel immer klar vor Augen haben. Dann werden sie konsequent und mit innerer Ruhe arbeiten.

Niemand soll durch die Führung betrübt oder verletzt werden, niemand soll in Traurigkeit gedrängt werden. Die Traurigkeit würde die Mitarbeiter nur lähmen. In manchen Betrieben hat man den Eindruck, daß hinter der Geschäftigkeit eine tiefe Traurigkeit liegt, die keine Freude an der Arbeit aufkommen läßt. Wenn man diese Traurigkeit genauer anschaut, so hat sie ihre Ursache meistens in der Mißachtung des einzelnen. Wenn Menschen immer wieder verletzt werden und sich dagegen nicht wehren können, reagieren sie mit einem Rückzug in die Traurigkeit, in die Depression. Die normale Reaktion auf die Verletzungen und Kränkungen durch die Verantwortlichen ist, daß man sich dafür rächt, daß man gegeneinander arbeitet. Jeder verletzt jeden. Aber keiner spricht darüber. Die Wunden werden nicht angeschaut und aufgearbeitet, sondern sie pflanzen sich einfach fort. Aber das verdirbt das Betriebsklima. Bei vielen Firmen spürt man sofort die Atmosphäre, die darin herrscht. Wenn man durch die Pforte das Bürogebäude betritt, riecht man förmlich die Atmosphäre. Bei manchen beflügelt die Atmosphäre. Bei anderen erdrückt sie einen. Man hat sofort ein flaues Gefühl im Magen. In solchen Unternehmen lähmt eine tiefe Traurigkeit die Mitarbeiter. Und das Haus ist geprägt von einem Gefühl von Leere und Sinnlosigkeit. Für Benedikt ist es ganz wichtig, daß niemand unnötig verletzt und in Traurigkeit gestürzt wird. Der Cellerar soll vielmehr ein Klima von Frieden und innerer Freude verbreiten. Das kann er aber nicht durch Durchhalteparolen oder durch Schlagworte erreichen, wie sie im Dritten Reich üblich waren: »Kraft durch Freude« usw. Wirkliche Lust an der Arbeit wird er nur vermitteln können, wenn er in der Begegnung und in der Art der Führung den Mitarbeitern Achtung und Ehrfurcht vermittelt, wenn er sich selbst durch die Probleme nicht lähmen läßt, sondern aus der inneren Gelassenheit und Zuversicht heraus die Konflikte löst.

Haus Gottes

Führung soll nicht verwirren oder betrüben, sondern aufrichten und aufbauen. Sie muß das »Haus Gottes« errichten, in dem die Mönche gemeinsam Gott suchen. Die Führung hat also auch eine spirituelle Aufgabe. Sie soll ein Klima schaffen, in dem Gott erfahrbar wird. Wenn die Mönche in den acht Stunden, in denen sie arbeiten, sich das Leben gegenseitig schwer machen, wenn sie statt miteinander gegeneinander arbeiten, dann nützen ihnen die drei Stunden gemeinsamen Gebetes auch nichts in ihrer Gottsuche. Sie werden sich durch die Arbeit so blockieren, daß sie unfähig sind, sich im Gebet ganz und gar Gott zuzuwenden. Die rechte Leitung der Arbeitsbereiche, die klare Organisation, der durchlässige Informationsfluß und ein Klima, in dem sich der einzelne geachtet und ernst genommen fühlt, schaffen die Voraussetzung für eine lebendige Gottsuche und echtes Beten. Nur wenn der Cellerar mit dem inneren Haus Gottes in Berührung ist, wird er mit seiner Führung auch außen ein Haus Gottes errichten können, ein Haus, in dem alles von Gott kündet, die klare Ordnung, die rechte Zeit und das Klima der Ehrfurcht und der Achtung.

Wenn der Cellerar mit seiner Leitungsaufgabe ein Haus Gottes aufbauen soll, so scheint das für die normale Unternehmensführung ein zu frommes Ziel zu sein. Aber man könnte das Bild vom Haus Gottes in unsere Welt hinein übersetzen mit: eine Unternehmenskultur schaffen, in der ein Gespür für das Transzendente aufscheint, in der das Ziel größer ist als nur die Gewinnmaximierung. Wenn das Unternehmen etwas vom Haus Gottes widerspiegeln sollte, so könnte das heißen, daß alles seine Ordnung hat, daß die Schöpfung als Schöpfung gesehen und geachtet wird und daß der Mensch in seiner Würde als Geschöpf Gottes erkannt wird. Wenn der Mensch als Mensch geachtet wird und nicht einfach als Arbeitnehmer oder Leistungsträger eingestuft wird, dann wird in einem Unternehmen sichtbar, daß da andere Maßstäbe herrschen als die der Verwertbarkeit und des Nutzens. Haus Gottes heißt nicht, daß alle Mitarbeiter fromm sind und gemeinsam meditieren oder ihren Glauben an Gott zeigen, sondern daß alles seinen richtigen Stellenwert hat, daß die Schöpfung gut behandelt wird und der Mensch wahrhaft Mensch sein darf.

Für gute Mitarbeiter genügt es heute nicht, daß sie nur viel Geld verdienen. Sie verlangen auch nach einer Unternehmenskultur, die überzeugt. »Haus Gottes« wäre ein schönes Bild für eine Unternehmenskultur, die motivierte Mitarbeiter auch heute anziehen könnte. In diesem Haus wird alles wie heiliges Altargerät betrachtet, da hat man ein Gespür für die kleinen Dinge. Da werden die Räume geschmackvoll eingerichtet. Blumen künden von der Schönheit der Schöpfung. Der Mitarbeiter wird in seiner Einmaligkeit gewürdigt. Man berücksichtigt nicht nur seine beruflichen Interessen. Es werden auch Fragen behandelt, die über den engen Horizont des Geschäftlichen hinausweisen. Da ist Raum für Kultur, für philosophische Gespräche. Da wird nach dem Sinn des Lebens gefragt. Niemandem wird ein Glaubensbekenntnis aufgezwungen, aber in der Art und Weise, wie man miteinander umgeht, wird sichtbar, daß letztlich der Glaube an Gott die eigentliche Grundlage des Handelns und Verhaltens ist. Da wird deutlich, daß das »Haus Gottes« nicht am Firmentor aufhört, sondern daß man mit der Unternehmenskultur auch die Gesellschaft positiv beeinflussen möchte, daß man seine Verantwortung für das gesamte Haus der Schöpfung wahrnimmt.

Interessant ist, daß das benediktinische Wort »Haus Gottes« heute bei einem amerikanischen Managementberater wieder auftaucht. Lance Secretan spricht davon, daß die Vorgesetzten ein »Heiligtum« schaffen sollen. Er meint damit einen Raum, in dem die Seele beflügelt wird, eine kreative Unternehmenskultur, ein Unternehmen, in dem »Spontaneität, Dynamik, Spaß, Humor, Befreiung von Versagensängsten, Anreize, gegenseitiges Wohlwollen und kultivierte Umgangsformen« (Secretan 262) das Klima prägen. Heiligtum ist »weniger ein Ort als eine Geistesverfassung, die ein Aufblühen der Seele ermöglicht« (Ebd 61). Ein »Heiligtum« wird »geleitet und bewohnt von Menschen, die den Durchbruch gewagt haben und durch ihre Seele befreit wurden« (Ebd 61). Im Heiligtum steht nicht der Gewinn, sondern der Mensch an erster Stelle. Da wird nicht mit Kontrolle gearbeitet, sondern es werden die entscheidenden Fragen gestellt, die das menschliche Herz bewegen. Da wird nicht der Konkurrenzkampf gepredigt, sondern die Einheit aller Menschen untereinander und die Einheit des Menschen mit der Schöpfung. Secretan stellt die Idee des »Heiligtums« den mechanistischen Unternehmen gegenüber, die wie eine Maschine arbeiten und keine Rücksicht auf die Seele des Menschen nehmen. Solche Unternehmen erzeugen nur Frustration, Härte, Leere, Sinnlosigkeit und Traurigkeit.

Das Klima, das ein Unternehmen schafft, betrifft nicht nur die Unternehmenskultur nach innen, sondern hat auch Auswirkungen nach außen. Daher hat jede Firma eine Verantwortung für die Gesellschaft. Die Wirtschaft ist wohl die mächtigste Kraft eines Landes. Sie schafft die meisten Probleme, etwa für die Umwelt, aber auch für das Klima in der Gesellschaft. Wenn sie für ein menschlicheres Betriebsklima sorgen würde, könnte sie einen wichtigen Beitrag zur Heilung der Gesellschaft leisten. Nicht umsonst hat das innerbetriebliche Klima der Benediktinerklöster die Gesellschaft des Mittelalters geprägt und einen heilenden Einfluß auf das ganze Land ausgeübt. Die Firma, die nur an sich selber denkt, die nur auf Gewinnmaximierung aus ist, erzeugt auch in der Gesellschaft Rücksichtslosigkeit und reines Profitdenken. Wenn ein Unternehmen aus dieser phantasielosen Denkwelt aussteigt und eine menschliche Unternehmenskultur schafft, ein »Heiligtum«, ein »Haus Gottes« erbaut, wirkt sich das auch auf die Gesellschaft positiv aus. Es geht nicht mehr um die bloßen »Nullsummenspiele«, in denen immer einer gewinnt und der andere verliert, es entsteht ein Miteinander, in dem jeder gewinnt und jeder sich als Mensch geachtet fühlt. Secretan meint: »Die Wirtschaft hat mehr dazu beigetragen, Kultur und ideelle Werte auf unserer Erde zu verbreiten, als Kirchen oder Regierungen. Mit Werten, die von der Seele geprägt sind, ist das moderne Unternehmen am ehesten in der Lage, die Welt zu verändern.« (Ebd 64) Aber viele Unternehmen sind sich heute ihrer Verantwortung für die Gesellschaft nicht bewußt. Sie kreisen nur um sich. Führung heißt für mich, daß ich über die engen Grenzen meines Betriebes hinaussehe und mich frage, was die Unternehmenskultur und die Art des Wirtschaftens für Auswirkungen auf die Gesellschaft und die Politik hat. Durch eine christliche Kultur des Miteinanders kann das Unternehmen eine wirkungsvollere Predigt halten als durch fromme Parolen, die durch die Wirklichkeit des täglichen Miteinanders nicht gedeckt sind.

Vision

Eine gute Unternehmenskultur ist geprägt von einer Vision. Sie muß über den Tellerrand hinaussehen und eine Vision von Gemeinschaft, von gemeinsamer Arbeit, vom Sinn und Ziel des Miteinanders haben. Wer sich nur den Tagesproblemen stellt, kann nicht motivieren und nichts Wesentliches verändern. Es braucht eine Vision, um in dieser Welt etwas in Bewegung zu bringen. Eine Vision motiviert, sie weckt bei den Mitarbeitern neue Kräfte. Sie gibt ihnen das Gefühl, an einer wichtigen Aufgabe mitzuarbeiten, einen entscheidenden Beitrag für die Vermenschlichung dieser Welt zu leisten. Eine Vision schafft Gemeinschaft. Sie hält die verschiedenen Charaktere und ihre Begabungen zusammen und sie gibt den Mitarbeitern eine Orientierung für ihr Handeln. Die Vision muß geprägt sein von ethischen und religiösen Werten. Sonst wird sie dem Menschen nicht gerecht. Die Vision braucht Leitbilder für die Mitarbeiter eines Unternehmens. Und die Vision muß hinein übersetzt werden in das konkrete Miteinander und in die Arbeit eines Unternehmens. Es müssen konkrete Ziele vereinbart werden, die dazu beitragen, die Vision zu verwirklichen. »Wer vom Ziel nichts weiß, wird den Weg nicht finden.« (Chr. Morgenstern) Ein Unternehmen, das ohne Vision arbeitet, kann vielleicht kurzfristig Erfolg haben. Aber schon nach kurzer Zeit wird es Probleme bekommen. Wer seine Mitarbeiter mit einer überzeugenden Vision inspiriert, wer ein »Heiligtum« schafft, in dem die Seele beflügelt wird, wird immer wieder auch die Bedürfnisse der Menschen ansprechen und wirtschaftlich florieren.

Um ein »Heiligtum« aufbauen zu können, muß man nach Secretan die richtigen Fragen stellen. Dabei benutzt der Unternehmensberater Begriffe, die ähnlich in der Regel Benedikts stehen könnten. Er spricht von Menschenfreundlichkeit und Hingabe als entscheidenden Werten, die ein Verantwortlicher verkörpern müßte. Der Verantwortliche sollte sich fragen: »Ist das, was ich tue, gut für die Menschen? Ist es wahrhaftig? Nimmt es Rücksicht auf die Seele? Ist es mutig? Hat es Charme? Respektiert es die weibliche und die männliche Energie gleichermaßen? Erfülle ich die Bedürfnisse der Persönlichkeit und der Seele anderer Menschen? Geht von mir eine positive Energie aus? Respektiere ich die ›Heiligkeit‹ von Menschen und Dingen?« (Secretan 338) Das »Heiligtum«, das »Haus Gottes« soll nicht von der Angst geprägt sein, sondern letztlich von der Liebe. Daher sind die wichtigsten Fragen für den Verantwortlichen: »Ermutige ich zu mehr Liebe, oder erzeuge ich Angst? Erfüllt meine Arbeit andere mit Freude, oder ruft sie Feindseligkeit und Konkurrenzdenken hervor? Gewinne ich, ohne daß ein anderer dabei verliert?« (Ebd 339) Solche Fragen zu stellen, ist für viele Manager heute fremd. Und doch wird es in Zukunft darauf ankommen, daß wir uns diesen Fragen stellen. Als ich diese Fragen las, fühlte ich mich in meinem eigenen Denken bestätigt. Es wurde mir klar, daß die benediktinischen Führungsgrundsätze heute genauso aktuell sind wie vor 1500 Jahren und daß sie heute für die Gesundung unserer Gesellschaft in ähnlicher Weise beitragen könnten, wie sie es das gesamte Mittelalter hindurch getan haben.

Schluß

Manch ein Leser wird in diesem Buch praktische Tips für das Führungsverhalten vermissen. Aber Bücher mit praktischen Übungen, wie wir ein Tadelgespräch oder ein Motivationsgespräch führen sollten, wie wir ein Stellenbild erarbeiten und wie wir ein Unternehmen an der Spitze reformieren können, gibt es viele. Da gibt es kompetente Unternehmenstrainer, die ihre Erfahrung an Kollegen weitergeben. Ich möchte nicht in Konkurrenz zu diesen vielen Trainern treten. Ich habe mich bewußt auf die Regel des hl. Benedikt beschränkt und zwar nur auf ein einziges Kapitel, auf das Kapitel über den Cellerar, wobei ein paar Grundsätze aus dem Abtskapitel hinzugezogen wurden. Aber ich hoffe, daß die Betrachtung dieser wenigen Verse vielen, die irgendwo in ihrem Bereich Verantwortung ausüben und Menschen führen, doch ein wenig helfen können. Die Herausforderung dieser Verse ist zunächst einmal, bei sich selbst zu beginnen, sich mit seinen Leidenschaften auseinanderzusetzen, seine Schattenseiten zu erkennen und zu integrieren, neue Haltungen einzuüben und mit sich selbst in Frieden zu kommen. Und die Herausforderung besteht darin, einen spirituellen Weg zu gehen, in Gebet und Meditation den inneren Raum in sich zu entdecken, von dem Frieden auch auf die Umgebung ausgehen kann. Erst von diesen Voraussetzungen her kann man sich dann der konkreten Aufgabe des Führens widmen.

Das benediktinische »Ora et Labora – Bete und Arbeite« meint, daß die so scheinbar weltliche Aufgabe des Führens eine spirituelle Dimension hat. Ja, das Führen selbst ist eine spirituelle Aufgabe. Spiritualität verstehe ich dabei einmal als geistlichen Weg, auf dem ich durch Gebet und Meditation Gott immer mehr Raum in mir gebe. Spiritualität ist aber auch die Spur der Lebendigkeit. Benedikt verlangt vom Mönch, daß er sein Leben lang Gott suchen soll. Die Suche nach Gott ist zugleich die Suche nach der je größeren Lebendigkeit. Gott ist das Leben schlechthin. Dort wo Leben aufblüht, dort ist auch Gott. Spiritualität heißt daher für mich auch immer Kreativität und Phantasie, Lebendigkeit und Lust am Leben. Spiritualität kommt ja von »spiritus«, von »Geist«, »Heiliger Geist«. Und der Heilige Geist ist der Lebensspender, der kreative Geist, der Neues in uns schafft, der uns in Bewegung bringt, der beseelt und beflügelt. Führung als spirituelle Aufgabe ist daher letztlich die Fähigkeit, sich vom Heiligen Geist inspirieren zu lassen und kreativ an die Lösung der Probleme heranzugehen. Und Führung heißt, das Leben in den Menschen hervorzulocken, das Gott ihnen geschenkt hat, die Möglichkeiten und Fähigkeiten in den Menschen zur Entfaltung zu bringen, die sie von Gott erhalten haben. Wer so führt, der dient wahrhaft den Menschen. Und er kann mit Benedikt sagen: »Wer seinen Dienst gut versieht, erlangt einen hohen Rang.« (RB 31,8) Führen ist eine Kunst, die vom Menschen viel verlangt, aber auch eine Kunst, die Spaß machen kann. Denn es gibt doch nichts Schöneres, als dem Leben zu dienen und in den Menschen Leben hervorzulocken. Die Gedanken dieses Buches wollen dem Leser Lust auf Führung vermitteln, damit er dort, wo er steht, wo er führt oder geführt wird, Leben wecken kann, damit dort, wo er lebt, Auferweckung und Auferstehung möglich werden.

Literatur

Die Benediktsregel. Eine Anleitung zum christlichen Leben, übers. u. erkl. von Georg Holzherr, Einsiedeln 1982.

Klaus Demmer, Gerechtigkeit, in LexSpit 501 f.

Anselm Grün, Die Erzieherweisheit Sankt Benedikts. Vortrag beim Lehrertag am 11.7.1980 in Münsterschwarzach.

Baldur Kirchner, Benedikt für Manager, Wiesbaden 1994.

Hans Küng, Weltethos für Weltpolitik und Weltwirtschaft, München 1997.

John R. O'Neill, Die dunkle Seite des Erfolgs, in: Die Schattenseite der Seele, hrg. v. Jeremiah Abrams u. Connie Zweig, München 1997, 118–120.

Dr. Hanns G. Noppeney, Führungsqualitäten 2000. Vortrag vor Führungskräften am 13.6.1995.

Edzard Reuter, Schein und Wirklichkeit. Erinnerungen, Berlin 1998.

Fritz Schürmeyer, Management-Training. Persönlichkeits-Entwicklung. Organisations-Entwicklung, Wehrheim o. J.

Lance H. K. Secretan, Soul-Management. Der neue Geist des Erfolgs – die Unternehmenskultur der Zukunft, München 1997.

Anselm Grün

Die hohe Kunst des Älterwerdens

Gebunden mit Schutzumschlag, 168 Seiten
Vier-Türme-Verlag 2007
ISBN 978-3-87868-661-3

»Der Mensch wird von allein alt. Aber ob sein Altern gelingt, hängt von ihm ab. Es ist eine hohe Kunst, in guter Weise älter zu werden.« (Anselm Grün)

Wer wird schon gerne älter? Anselm Grün, mit Anfang 60 selbst ein »junger Alter«, ermutigt seine Leserinnen und Leser, sich bewusst mit dem eigenen Älterwerden auseinander zu setzen. Spirituell gestaltet kann diese Lebensphase zu einer Zeit des Reifens und Wachsens werden und dem Leben eine neue Tiefe verleihen.

Einfühlsam schildert der Benediktinerpater in diesem Buch die Herausforderungen des Älterwerdens – Annehmen, Loslassen, Aussöhnen – und zeigt die darin liegenden Chancen auf: Wer lernt, die jetzt spürbaren Grenzen zu akzeptieren, der kann für sich auch ganz neue Tugenden erlernen wie Dankbarkeit oder Geduld, Sanftmut oder Gelassenheit. Wer sich darin einübt, loszulassen, wird neu beschenkt werden.

Ein Buch für jeden, der die Zeit des Wachsens und Reifens für sich neu entdecken will!